THE ROYAL HORTICULTURAL SOCIETY
GUIAS PRÁCTICAS

# PLANTAS ANUALES Y BIENALES

# THE ROYAL HORTICULTURAL SOCIETY
## GUIAS PRÁCTICAS

# PLANTAS ANUALES Y BIENALES

## CHRISTOPHER GREY-WILSON

EDITORIAL
ALBATROS

Un libro

DORLING KINDERSLEY

www.dk.com

TÍTULO ORIGINAL: *Annuals & Biennials*

EDITOR DEL PROYECTO: Annelise Evans
EDITOR ARTÍSTICO: Ursula Dawson
JEFE DE EDITORES: Gillian Roberts
EDITOR ARTÍSTICO DE LA SERIE: Stephen Josland
JEFA EJECUTIVA DE EDICIÓN: Mary-Clare Jerram
EDITOR EJECUTIVO ARTÍSTICO: Lee Griffiths
DISEÑADOR PUBLICITARIO: Louise Paddick
GERENTE DE PRODUCCIÓN: Mandy Inness

*Para esta edición*
TRADUCCIÓN: Silvina Merlos
CORRECCIÓN: Cecilia Repetti
COORDINACIÓN: Jorge Deverill

Primera edición, publicada en Gran Bretaña, 2000,
por Dorling Kindersley Limited,
9 Henrietta Street, Londres WC2E 8PS

# CONTENIDO

# USO DE PLANTAS ANUALES Y BIENALES

## DIFERENCIA ENTRE ANUALES Y BIENALES

UNA PLANTA ANUAL, EN TÉRMINOS DE BOTÁNICA, es aquella que completa su ciclo vital desde la germinación de la semilla hasta una planta madura con flores, seguida por la aparición de frutos y la producción de semillas, en una única temporada de cultivo, con frecuencia, de pocos meses. Son, por lo tanto, plantas de crecimiento rápido y que generalmente producen una gran cantidad de flores de colores. Las plantas bienales necesitan dos estaciones de cultivo para completar su ciclo vital.

### RESISTENCIA AL FRÍO

Una gran cantidad de anuales y bienales son muy resistentes a las heladas. Soportan temperaturas de hasta -5° C. Se deben sembrar en invernadero hacia fines del invierno o principios de la primavera para ser transplantadas a exteriores, luego de las heladas más severas; o al aire libre, a mediados de la primavera. Las plantas anuales semirresistentes, que incluyen una gran cantidad de plantas anuales para macizos, como petunias y nicotianas, no toleran las heladas; las plantas anuales delicadas no soportan temperaturas inferiores a los 5° C. Estos últimos dos grupos de plantas anuales pueden plantarse al aire libre en el jardín sólo una vez que no exista riesgo alguno de heladas y la temperatura del suelo ya haya aumentado. Son ideales para lugares cálidos, invernaderos o macetas.

PLANTAS ANUALES RESISTENTES
*Una gran cantidad de plantas anuales resistentes, tales como esta capuchina,* Tropaeolum *Serie "Alaska", producen una mata de flores de gran colorido en pocas semanas.*

PREPONDERANCIA DE LA VERTICAL. *Los gordolobos y las orzagas rojas le dan altura a la bordura.*

**PLANTAS BIENALES**
*Las plantas bienales típicas, que incluyen la bella digital común (*Digitalis purpurea*), forman una roseta de hojas durante el primer año y sus tallos se colman de flores durante el segundo.*

**ANUAL SEMIRRESISTENTE**
*Un grupo de* Zinnia haageana *"Persian carpet" da flores de colores durante los meses de verano.*

La mayoría de las plantas anuales pueden cultivarse en jardines con facilidad, tanto las que requieren ser colocadas en primer lugar en invernadero, como aquellas que no. Producen una mata de flores de diversos colores con gran rapidez, principalmente durante el verano y a principios del otoño, a pesar de que algunas florecen en primavera. Si se siembran semillas de diversas plantas por etapas, puede contarse con flores durante varias semanas. Vienen en muchos colores, tamaños y texturas para diversos estilos de plantación. Se adaptan a jardines pequeños, a esquemas formales de macizos y al cultivo en macetas. Pero algunas plantas anuales producen,

además, excelentes flores cortadas, plantas con follaje, para secar o para atraer insectos y otro tipo de fauna silvestre.

Esta variedad de opciones puede ampliarse con plantas bienales, como alhelíes amarillos y algunos gordolobos (*Verbascum*), ya sea cultivadas durante el invierno y luego plantadas en exteriores, o sembradas en forma directa para dar flores el año siguiente.

**PERENNES CULTIVADAS COMO ANUALES**
Ciertas plantas perennes de corta vida para jardín (plantas que florecen durante más de dos años) se cultivan a partir de semillas como anuales, que

## VARIEDADES TRADICIONALES FAVORITAS

| ANUALES | BIENALES | PERENNES CULTIVADAS COMO ANUALES |
|---|---|---|
| *Centaurea cyanus* | *Digitalis purpurea* | |
| *Clarkia amoena* | *Eryngium giganteum* | *Antirrhinum majus* |
| *Linum grandiflorum* | *Erysimum cheiri* | *Begonia semperflorens* |
| *Nigella damascena* | *Verbascum chaixii* | *Impatiens walleriana* |

florecen el primer año. Por ejemplo: las dalias pequeñas, las balsaminas *(Impatiens)* que incluyen los híbridos de Nueva Guinea y una gran variedad de geranios.

Pocas plantas para macizos anuales son perennes. A pesar de que se pueden desechar a fines de temporada en climas frescos o templados, muchas pueden conservarse durante el invierno en invernadero como plantas o como esquejes de raíz de otoño.

## CULTIVO DE PLANTAS EN GRUPO

Algunos jardines están dedicados únicamente a plantas anuales y bienales; éstas son sólo un elemento de una variedad de plantación que puede incluir árboles, arbustos, plantas perennes y bulbos. Con frecuencia, las plantas anuales son cultivadas solas en borduras para que produzcan un efecto más impactante, pero también pueden combinarse perfectamente con otras plantas, por ejemplo, en macetas o para cubrir espacios en macizos herbáceos.

Pueden hallarse alternativas de anuales y bienales en el capítulo titulado "Selección de plantas anuales y bienales" (ver págs. 60 a 77).

BORDURA TRADICIONAL DE PLANTAS ANUALES
*Esta atractiva bordura está compuesta por grupos de plantas resistentes y semirresistentes a las heladas, como coreopsis, dalias, salpiglosis y zinias.*

BORDURA COMBINADA
*Esta bordura crea una margen de flores silvestres a través de la combinación de algunos acianos, conejitos y pensamientos con una plantación informal de perennes resistentes.*

# IDEAS PARA LA PLANTACIÓN

SIEMPRE EXISTE ALGÚN LUGAR PARA PLANTAS ANUALES Y BIENALES, incluso en el jardín más pequeño. Pueden llenarse canastas, soportes para florales y maceteros con flores y follaje atractivos para lograr un efecto agradable durante varios meses del año. Pueden agregarse más plantas en las borduras herbáceas o diseminarse entre arbustos para dar vida a plantaciones permanentes mediante un toque de color. Una maceta colmada de petunias y pensamientos puede resultar un magnífico adorno para un patio o balcón.

## COMBINACIÓN DE PLANTAS

Si tiene un jardín amplio, es preferible destinar una parcela entera para el cultivo de plantas que florezcan en verano. Sin embargo, la integración de plantas anuales y bienales con otras plantaciones abre la posibilidad de innumerables combinaciones de colores, formas y texturas. En el caso de macizos, borduras o jardines nuevos, las plantas anuales y bienales son sumamente útiles para crear una atractiva gama de colores mientras que se asientan las permanentes.

Con frecuencia, la estructura de las borduras existentes está dada por pequeños árboles y arbustos o por perennes herbáceas. La apariencia de las borduras puede modificarse año tras año utilizando anuales y bienales para marcar los cambios de estación. La mayoría de las plantas anuales poseen raíces poco profundas y prosperan entre plantas perennes de raíces profundas. Las plantas anuales crecen mejor en ambientes abiertos y soleados, y es importante evitar el exceso de sombra. Por lo tanto, en jardines pequeños, será necesario reducir la densidad de los árboles y arbustos existentes para permitir su óptimo desarrollo. Sin embargo, algunas plantas anuales, en especial las

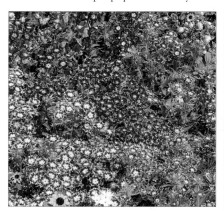

TOQUES DE COLOR CON PLANTAS
*La forma tradicional de cultivar plantas anuales es sembrarlas o plantarlas en grupos para lograr un efecto de color en un macizo o bordura, como en el caso de la bella* Phlox drummondii *"Sternenzauber"*

JARDÍN ORNAMENTAL
*Las maravillas y borrajas anuales lucen espléndidas en huertas informales; no solo producen un contraste de colores junto a los repollos, sino que además, las flores son comestibles.*

balsaminas, prefieren la sombra irregular y son ideales para alegrar lugares cercados.

Para lograr altura con rapidez, es conveniente utilizar plantas anuales y bienales con inflorescencia en espiga, como las digitales e incluso los girasoles. Pueden entremezclarse plantas trepadoras anuales, como las capuchinas canarias trepadoras o las habas dulces, para crear zonas de color.

Las asociaciones de plantas pueden producirse por causalidad, simplemente mediante la eliminación de aquellas plantas que crezcan en lugares inadecuados; pero la planificación es de gran importancia para asegurar un resultado

## Las plantas altas anuales y bienales estructuran las borduras.

exitoso. Es conveniente intentar mezclar nomeolvides, lunarias, plantas de *Limnanthes douglasii*, pensamientos y alhelíes amarillos junto con bulbos que florezcan en primavera, tales como narcisos, jacintos y tulipanes. O, en verano, cultivar neguillones, espuelas de caballero, arañuelas y amapolas junto con bulbos, como los Allium, gladiolos y lirios.

DÚO DINÁMICO
*Las maravillas amarillas y las amapolas rojas, ambas anuales de crecimiento rápido, crean una combinación magnífica durante el verano.*

FLORES COMESTIBLES
*Las hierbas comestibles anuales y perennes (en este caso capuchinas, pensamientos y maravillas, junto con salvia púrpura perenne y menta variegada) se encuentran plantadas juntas para crear una zona de color de combinación apetecible.*

# Mezclas de semillas de anuales

L a mayoría de las plantas anuales resultan ideales para sembrarlas directamente en el jardín, en especial cuando se necesita lograr un efecto natural, ya que es posible mezclar semillas de diversas variedades de plantas y sembrarlas en forma conjunta. Para ello, es necesario preparar el suelo, sembrar la mezcla de semillas en el momento indicado, y luego esperar los resultados. La combinación resultante de bellas flores de diversos matices, formas y alturas se asemejará a la armonía natural de la naturaleza.

## Belleza natural

Una gran cantidad de plantas anuales presenta una floración y una forma simples; lo que permite lograr efectos naturales en el jardín. En vista de que las mezclas de semillas producen efectos que pueden no adecuarse a los diseños tradicionales, resultan perfectas para borduras de estilo informal o para jardines domésticos. Las mezclas naturales también atraen insectos y aves.

Una parcela de tierra no cultivada ni trabajada en el jardín en forma reciente, preferentemente aquella que no ha sido tratada con fertilizantes, permite crear un sector adorable de plantas anuales semejante a praderas de flores silvestres. Si se remueve la tierra en forma periódica, las mezclas de semillas para suelos arados volverán a aparecer por varios años, proporcionando de esta manera flores que cambiarán de temporada en temporada.

Existe una enorme variedad muy atractiva de mezclas de semillas: para diseños con colores cálidos y fríos, para cortar flores, para perfumar ciertas áreas, mezclas de flores silvestres, y variedades de crecimiento rápido para que los

> Cambie el estilo de su jardín con una nueva mezcla cada año.

niños también puedan cultivar sus propias plantas. Para obtener una combinación agradable, es conveniente elegir semillas de aquellas plantas que puedan verse bien unas junto a otras y que posean aproximadamente la misma altura; aunque algunas diferencias de altura pueden crear efectos atractivos e interesantes. Las plantas

## BORDURA INFORMAL

*Esta bordura colmada de plantas anuales resistentes posee azules y violetas, y alterna algunos matices brillantes de color, para crear un sector floral agradable que a su vez atrae los insectos que efectúan la polinización.*

**MEZCLA DE LA PRADERA**
*Las especies anuales como los acianos azules, las margaritas blancas, las amapolas escarlata y las maravillas amarillas, crean una pradera de verano de colores brillantes.*

**JARDÍN DOMÉSTICO**
*Las plantas anuales son el elemento principal de los jardines de casas de estilo antiguo, donde los macizos se entremezclan con variedades de flores.*

anuales con flores pequeñas, como las margaritas o floraciones comunes como las amapolas, se verán más naturales que las flores extravagantes como las zinias dobles. Se sugiere agregar semillas de gramínea anual para lograr un efecto delicado. Lo principal es elegir variedades que maduren con la misma rapidez, para que la floración sea pareja.

## SIEMBRA DE LA MEZCLA

En el momento de preparar su propia mezcla, es necesario asegurarse de mezclar bien las semillas; agregar arena fina ayuda a que la siembra pueda efectuarse en forma pareja. Las siembras demasiado cargadas requiere que se reduzca bien la densidad de los plantines para asegurar un buen desarrollo de las plantas. También es importante elegir la mezcla de semillas correcta para el tipo de suelo ya que, en caso contrario, los resultados no serán favorables. Las plantas anuales semirresistentes y las delicadas pueden sembrarse en forma directa en zonas templadas, una vez que el suelo se encuentre lo suficientemente cálido, pero en climas fríos es necesario proteger las plantas en invernadero y plantarlas en forma irregular para producir el mismo efecto que se obtiene al sembrar una mezcla.

# PLANTAS POR COLOR

Es POSIBLE ENCONTRAR PLANTAS ANUALES Y BIENALES prácticamente de todos los colores que puedan imaginarse. Se recomienda utilizar la rueda de colores (derecha) para la relación entre colores, y los efectos de las diversas combinaciones en el jardín. Es posible aprender mucho sobre la combinación de colores visitando otros jardines y prestando atención a las composiciones más agradables.

RUEDA DE COLORES

## LA RUEDA DE COLORES

Los tres colores primarios, rojo, azul y amarillo, conforman la base de la rueda de colores. Estos se mezclan para dar origen a los colores secundarios, anaranjado, verde y violeta. En el lugar donde se unen los segmentos, se encuentra una gran cantidad de gamas de tonos y matices. Los colores opuestos en la rueda producen los contrastes más acentuados, como el violeta y el amarillo, o el azul y el anaranjado. La utilización

de plantas con matices complementarios puede provocar un efecto deslumbrante y, en algunos casos, estridente, que puede resultar vivo y atractivo a la distancia.

Algunas plantas producen sus propios contrastes: las flores rojas de la amapola contrastan con su propio follaje verde brillante; algunos pensamientos combinan en forma estridente amarillos intensos y violetas profundos en sus pétalos. Por el contrario, los colores

COLORES BÁSICOS

*Las plantas de un único color pueden utilizarse en plantaciones monocromáticas con matices del mismo color o con otros colores. Se recomienda utilizar flores blancas como puntos de iluminación.*

MOLUCCELLA LAEVIS

ZINNIA ELEGANS
"DREAMLAND SCARLET"

ERYSIMUM CHEIRI
"FIRE KING"

ESCHSCHOLZIA CALIFORNICA
"YELLOW CAP"

NEMESIA VERSICOLOR
"BLUE BIRD"

vecinos o adyacentes, como el azul y el verde, o el violeta y el azul, producen efectos suaves y más armónicos. Por ejemplo, las flores rosadas de los neguillones encuentran un contraste en sus hojas sedosas de color verde grisáceo, mientras que las delicadas flores azules de la arañuela se suavizan con su follaje verde levemente seco.

> Si el espacio es reducido, sembrar una especie con flores de diversos colores.

Al planificar las combinaciones de colores, no debe olvidarse la importancia del follaje: el plateado o grisáceo, como el de la *Senecio cineraria*, puede complementarse con flores azules o blancas; el coleus (*Solenostemon*) posee hojas de matices dorados, rojos y violetas intensos.

## PLANIFICACIÓN DE LOS COLORES

Experimentar puede resultar divertido, pero también intrépido. La planificación en un papel borrador, antes de la siembra o de la plantación, ayuda a imaginarse las combinaciones de plantas. Es conveniente elegir aquellos esquemas de colores que resulten del agrado personal.

La elección también depende, en cierta manera, del efecto que se intente lograr. Los colores intensos y cálidos, como el anaranjado y el dorado, destacan mucho más las plantas, mientras que los colores suaves como el rosa, el blanco y el azul, poseen un efecto más impresionista y crean ilusión de distancia.

El impacto de la plantación también sufre la influencia de otras características del jardín, en especial los colores de los árboles y arbustos linderos. Las variaciones de altura de las plantas y sus períodos de floración desempeñan un rol esencial en la efectividad del diseño.

*IPOMOEA PURPUREA* "GRANDPA OTT"

*CLEOME HASSLERIANA* "HELEN CAMPBELL"

*VIOLA* "ROMEO AND JULIET"
*Algunas plantaciones presentan colores combinados en forma armoniosa.*

# UTILIZACIÓN DE COLORES CÁLIDOS

LOS COLORES CÁLIDOS E INTENSOS se adaptan perfectamente a las regiones cálidas, pero los rojos, amarillos y anaranjados brillantes, utilizados deliberadamente, pueden producir un efecto de calidez, incluso durante los veranos frescos en zonas de clima más riguroso. Entre las plantas anuales y bienales, los colores más intensos se limitan casi exclusivamente a las plantas con floración en verano y otoño; combinan a la perfección con el follaje otoñal, con sus rojos, bermellones y bronces de árboles y arbustos linderos.

## BRILLO ESTACIONAL

A principios del verano, las amapolas anuales escarlata brillante muestran sus flores aterciopeladas, y los amarillos y dorados claros de los crisantemos anuales se encuentran en su plenitud. A medida que avanza el verano, más y más flores anuales aparecen, desde la gran variedad de maravillas (*Calendula* y *Tagetes*) hasta la elegantes rudbeckias en todos sus colores desde el amarillo limón hasta el dorado y el rojizo, que prolongan la temporada hasta avanzado el otoño. A partir de mitad del verano en adelante, una sucesión de salvias en rojos, violetas y rosas intensos, junto con penstemons de colores similares, dan gracia al jardín. Esta abundancia alegre de colores llega a su fin sólo con las primeras heladas del otoño.

Es posible utilizarlas para crear sectores cálidos en macizos y borduras atractivos a la vista. Las caléndulas en amarillo y anaranjado intenso ubicadas entre zinias rojo bermellón y rudbeckias tostadas forman una combinación

FOLLAJE BRILLANTE
*No se necesitan flores impactantes cuando el follaje de por sí presenta un matiz brillante, como en el caso de esta hilera de coleus,* Solenostemon *serie "Wizard". Las hojas se asemejan al amarillo de la hiedra,* Hedera helix *"Buttercup" que aparece por detrás. Cada planta de coleus puede presentar una combinación de colores o diseños levemente diferentes. Resulta ideal para macizos de verano en jardines cálidos y, además, puede verse espléndido en macetas.*

ROJOS Y ROSADOS
La serie "*Dianthus* telstar" se
presenta en rojos y rosados; las
gamas más claras acentúan las
variedades escarlata intenso
produciendo un efecto espléndido.

COLOR DURADERO
*Pueden conservarse los colores vivos
de la* Bracteantha bracteata *si se las
deseca, para alegrar los días de
invierno.*

mpactante de colores que no puede pasar
lesapercibida. La variedad de plantas anuales y
bienales de colores cálidos es prácticamente
interminable, pero al jugar demasiado con
colores intensos puede caerse en un error
provocando un efecto demasiado cargado. Por
otro lado, los contrastes más suaves son mucho
más efectivos. Por ejemplo, los diferentes tonos
de anaranjado y rojo brillantes pueden verse
espléndidos junto al follaje violeta del *Atriplex* o
las hojas rojas de la *Celosía*, mientras que las
salvias violeta intenso puede entremezclarse
perfectamente con el follaje amarillo verdoso del
*myrnium*.

Las formas contrastantes de las flores pueden
ser interesantes, en especial cuando se colocan
grupos de plantas con varas como los gordolobos
dorados junto a plantas como las dalias pompón
o maravillas africanas.

## ANUALES DE COLORES CÁLIDOS

### ROJO
*Linum grandiflorum* "Rubrum"
*Geranio serie* "Diamond"
*Salvia splendens*

### ANARANJADO
*Mimulus serie* "Malibu"
*Rudbeckia hirta* "Marmalade"
*Tithonia rotundifolia*

### AMARILLO
*Argemone mexicana*
*Helianthus annuus*
*Limnanthes douglasii*

### VIOLETA
*Digitalis purpurea*
*Nierembergia caerulea* "Purple Robe"
*Petunia* (una gran cantidad de violetas)

# UTILIZACIÓN DE COLORES FRÍOS

L A MAYORÍA DE LOS JARDINES requieren borduras de colores fríos para crear un efecto fresco. Sin embargo, la plantación masiva de plantas anuales y bienales de estos colores, en especial, azul, blanco o rosa pálido, puede resultar insulsa y carente de inspiración, salvo que se la combine con verdes pálido y mate, cremas pálidos y amarillos suaves. En algunos casos, pueden utilizarse colores contrastantes y más intensos como toques de iluminación o alteraciones intencionales del efecto armonioso de la bordura.

## CLAROS E INTERESANTES

Los esquemas de plantación de colores fríos se intensifican e incluso se tornan luminosos al atardecer, mientras que los colores cálidos desaparecen en la oscuridad. Asimismo, es posible observarlos a distancia ya que crean una sensación de espacio en el jardín.

Al planificar las combinaciones de colores fríos, no se aconseja mezclar demasiados azules y rosas pálidos; la moderación en la elección de plantas es la clave del éxito, ya que tonalidades demasiado diferentes dan impresión de desorden y poca armonía.

## COMBINACIÓN DE COLORES FRÍOS

Combine flores azul puro y los follajes verdes de la arañuela (*Nigella damascena*) con los refinados neguillones (*Agrostemma githago*), los delicados matices pasteles de los pétalos aterciopelados de la *Papaver rhoeas* en su variedad "Mother of Pearl", y la blanca *Gypsophila elegans*. Si se requieren más verdes, se recomienda agregar algunas gramíneas anuales, como la gramínea plumerillo (*Pennisetum setaceum*). El efecto general de la plantación es claro, tranquilo y similar a una pradera.

MÁRGENES A PURO BLANCO
*Las flores blancas de las petunias y las* Tanacetum parthenium *cerca de un follaje verde producen un efecto suave y elegante para los lados de un sendero*

## PLANTAS ANUALES DE COLORES FRÍOS

**CREMAS Y BLANCOS**
*Digitalis purpurea* f. *albiflora*
*Dimorphotheca pluvialis*
*Lavatera trimestris* variedad "Mont Blanc"
*Omphalodes linifolia*

**AZULES**
*Ageratum houstonianum*

*Felicia amelloides*
*Nemophila menziesii*
*Nigella damascena*

**LILAS, MALVAS Y VIOLETAS**
*Brachyscome iberidifolia*
*Browallia speciosa*
*Clarkia amoena*

*Heliotropium arborescens*

**ROSADOS**
*Cleome hassleriana* (formas rosadas)
*Papaver rhoeas* variedad "Mother of Pearl"
*Silene armeria*
*Silene coeli-rosa*

**NEMOPHILA MACULATA**
*Es una bella planta anual pequeña y resistente que se adapta perfectamente a una bordura con flores de colores fríos. Combina muy bien con las lobelias azules o las margaritas "Swam River"* (Brachyscome*).*

**BORDURA EN COLORES FRÍOS**
*Con lobelias, nemesias "Fragrant cloud" y pensamientos, se logra un diseño en blanco y azul que contrasta con el follaje gris de "Variegatum" de* Helichrysum petiolare.

Para lograr un efecto impactante, es conveniente plantar una bordura integrada únicamente por plantas anuales y bienales con flores azules. Una bordura completamente blanca puede parecer casi helada, incluso avanzado el verano. La inclusión esporádica de plantas de follaje agradable, ya sea anuales, bienales o perennes de corta vida, (por ejemplo, la *Senecio cineraria* de

## El follaje verde o violeta intenso es impactante entre las flores pálidas.

hojas plateadas o el verde fresco de la *Bassia scoparia* f. *Trichophylla*, acentúan el efecto de belleza natural. La planta anual espigada "Miss Willmott's ghost" (*Eryngium giganteum*) y la perenne ortiga orejas de cordero (*Stachys byzantina*), con follaje gris plateado, también ofrecen contrastes en los matices y texturas de las hojas.

Lo importante es experimentar. Las plantas anuales y bienales son solo plantas de estación de corta vida, por ello, si no se obtiene un resultado óptimo en un año determinado, puede volver a intentarse al siguiente.

# ANUALES Y BIENALES PARA DESECAR

L A PRIMAVERA Y EL VERANO son las estaciones en que florecen las plantas anuales y bienales, pero una vez finalizado el verano, las flores se marchitan en el jardín y los arreglos de flores secas pueden prolongar el verano anterior. Una gran cantidad de plantas anuales y algunas bienales permiten la desecación. Las flores secas mantienen bien sus colores y, si son conservadas en ambientes secos, permanecen en buen estado durante al menos doce meses hasta la próxima cosecha.

## CONSERVACIÓN DE LAS FLORES

Los colores vivos de las flores frescas anuales y bienales pueden opacarse levemente en el momento de secarlas, pero los matices delicados son muy agradables. Por el contrario, las secas que se comercializan, por lo general se encuentran teñidas. La forma y textura es tan importante como los colores. Es conveniente buscar formas definidas, como los cálices elegantes de la *Moluccella laeveis* o las brácteas y hojas espigadas de los cardos de jardín (*Eryngium*), y texturas interesantes, como los capullos con textura de papel de las siemprevivas

(*Bracteantha bracteata*). Las cabezuelas se pueden ver tan elegantes como las flores, una vez secas, tanto si se las coloca solas en arreglos florales como junto a otras flores secas. Para evitar arruinar los efectos creados en el jardín, es conveniente destinar una pequeña porción de terreno (por ejemplo, un sector de la huerta) para plantas anuales y bienales para secar. En ese lugar, se las puede sembrar y cultivar hasta tanto se encuentren listas para ser cortadas. Es preferible sembrar gramíneas en forma más densa que lo común para que los tallos se sostengan unos con otros.

### COLORES DURADEROS

*La statice (*Limonium sinuatum*) es una planta anual de floración prolongada, utilizada en gran medida como flor seca y disponible en una gran variedad de colores. Para secarlas se recomienda colgar las flores hacia abajo en ramos, que a la vez crean un efecto decorativo.*

CABEZUELAS DE LAS
ADORMIDERAS
*Las grandes cápsulas de
semillas de la adormidera
(*Papaver somniferum*) se
encuentran entre las más
decorativas de las plantas
anuales. Las cápsulas
secas se ven impactantes
si se las pinta de dorado
o plateado para armar
coronas y guirnaldas
para el invierno.*

## FLORES Y FRUTOS SECOS

Es importante ser cuidadoso al elegir las flores
para secar teniendo en cuenta que estén
semiabiertas; la mayoría de las flores demasiado
maduras no se secarán en forma adecuada. Las
plantas con flores grandes y delicadas, como las
larkias o las amapolas, no son apropiadas para
secar. Corte las flores o ramas de tallos largos y
retire las hojas grandes y aquellas flores dañadas
o demasiado abiertas.

Ate los tallos en pequeños ramos suavemente
con un hilo o rafia, y déjelos secar boca abajo en
un lugar seco, lejos del alcance directo del sol.

> Utilice flores y frutos
> secos para guirnaldas,
> ramilletes y popurrí.

El método para secar y conservar frutos es el
mismo que para las flores. La mejor época para
juntar los frutos y cápsulas de semillas para secar
es cuando se encuentran bien maduros o
comienzan a secarse en forma natural. Si se los
deja demasiado tiempo en el jardín, con
frecuencia pierden su color y se dañan.

Las gramíneas anuales también son excelentes
para secar. La época es sumamente importante: si

se cortan demasiado pronto, los tallos serán muy
blandos y delgados como para sostener las flores,
pero, si se los corta demasiado tarde, las
espiguillas comenzarán a desarmarse con el
mínimo toque. En general, la mejor época para
cortar gramíneas para secar es cuando las
espiguillas empiezan a dar flor (por lo general,
esto va acompañado de la aparición de estambres
amarillos o color crema).

### ADECUADAS PARA SECAR

| | |
|---|---|
| Bracteantha<br>bracteata | Onopordum<br>acanthium |
| Consolida ajacis | Psylliostachys |
| Eryngium giganteum | suworowii |
| Gomphrena globosa | Trachelium caeruleum |
| Limonium sinuatum | Xeranthemum annuum |
| Moluccella laevis | |

*LUNARIA ANNUA*

# PROLONGACIÓN DE LA TEMPORADA

UNA VEZ MARCHITAS LAS FLORACIONES , gran cantidad de plantas anuales producirá cabezuelas muy decorativas que prolongarán los matices suaves de la cosecha hasta bien avanzados el otoño y el invierno. Las gramíneas anuales también atraviesan por el mismo proceso; sus ramas se vuelven cada vez más ligeras y se van decolorando a medida que dan semillas. Algunas plantas anuales y bienales aportan toques de color con frutos brillantes de color rojo escarlata.

## BUENA COSECHA

Algunas plantas anuales, como las *Tagetes*, balsaminas (*Impatiens*) y las petunias, se cultivan solo por sus flores. Por ello, es imporante eliminar las cabezuelas florales marchitas para prolongar la temporada. Sin embargo, si se vence la tentación de quitar otras plantas anuales hacia fines del verano, es posible disfrutar de las plantas anuales con frutos ornamentales y de la variedad que presentan cabezuelas vistosas.

Para darle un toque de color a las borduras de verano, se sugiere cultivar pimientos (*Capsicum annuum*), ya que sus diversas variedades presentan frutos de color rojo, violeta y amarillo intensos. Es posible mantener el estilo en interiores, con un cerezo brillante de invierno (*Solanum pseudocapsicum*).

El espectro de cabezuelas es aún mayor. La lunaria anual (*Lunaria annua*) presenta discos delgados como el papel con un brillo plateado; las semillas de la arañuela (*Nigella damascena*) parecen pequeños globos, mientras que las de las amapolas (*Papaver*) tienen forma de pimenteros. Las amapolas de California (*Eschscholzia*) presentan vainas alargadas y delicadas que, una vez maduras, se curvan adoptando forma de hoz

### GIRASOL
*Esta llamativa margarita anual (en este caso, Helianthus "Pastiche") es una flor estrella en el jardín. Es excelente para cortar o secar como decoración para el invierno, y sus semillas son comestibles.*

### HIERBAS DECORATIVAS
*El eneldo es una planta anual aromática que se utiliza con gran frecuencia como hierba comestible. Pueden secarse para ser utilizados durante el invierno.*

LA TEMBLADERA
*Esta gramínea anual de crecimiento rápido recibe su nombre por las cabezuelas con forma de relicario, que resuenan ante la brisa más leve.*

CRECIMIENTO VISTOSO
*Las gramíneas, como la cola de ardilla, adquieren un matiz beige en el momento de dar semillas. Agregan luminosidad a las plantas perennes como la* Gaura lindheimeri.

Otras plantas anuales, como la *Onopordum acanthium*, poseen cabezuelas con aspecto de cardo que perduran bastante tiempo. La más grande y atrevida de todas ellas es el girasol, de discos chatos o cientos de semillas ordenadas simétricamente. Además de su valor ornamental, los frutos y cabezuelas son la fuente de semillas que pueden recolectarse para el año siguiente (ver págs. 56-57).

## GRAMÍNEAS ATRACTIVAS

Los grupos de flores afelpadas, sedosas o brillantes o las espiguillas de las gramíneas anuales mejoran con el paso del tiempo ya que se vuelven más pomposas y con matices más delicados en el momento de dar semillas. Con frecuencia, duran meses y se conservan ya avanzado el invierno. Las gramíneas moderan los excesos de las borduras durante los veranos calurosos, y pueden crear un efecto maravilloso si se las utiliza con flores color pastel. Más tarde, bañadas de helada, adquieren una magia etérea.

## PLANTAS RECOMENDADAS

### FRUTOS DECORATIVOS
*Capsicum annuum; Solanum pseudocapsicum*

### VAINAS CON SEMILLAS DECORATIVAS
*Argemone; Atriplex hortensis*
*Cardiospermum halicacabum*
*Consolida ajacis; Dipsacus fullonum*
*Eccremocarpus scaber;*
*Glaucium corniculatum; Lablab purpureus*
*Papaver somniferum; Ricinus communis*
*Scabiosa*

### SEMILLAS COMESTIBLES
*Anethum graveolens; Coriandrum sativum*
*Foeniculum vulgare; Helianthus annuus*
*Zea mays*

### GRAMÍNEAS
*Briza maxima; Hordeum jubatum*
*Lagurus ovatus; Pennisetum setaceum*
*Setaria italica*

# PLANTAS TREPADORAS ANUALES

ALGUNAS DE LAS PLANTAS ANUALES con flores más hermosas y vistosas son las trepadoras. La mayoría son de crecimiento rápido y excelentes para delimitar una bordura con una columna de flores, para adornar una pérgola o un arco o para disimular una estructura que no debe verse. Al combinarlas con arbustos anuales, es posible prolongar su floración y, si se las entremezcla con herbáceas y arbustos perennes, aportan un toque agradable de informalidad.

## TREPADORAS ANUALES

La reina de las plantas trepadoras anuales es, sin duda, la arvejilla (*Lathyrus odoratus*), laureada por sus bellas flores de dulce perfume que crecen en grupos. A pesar de ser sensible a zonas secas y de altas temperaturas, se desarrolla perfectamente en muchos jardines. Algunas trepadoras anuales aportan bellas flores para cortar. En aquellos

lugares donde no se da esta variedad, prosperan otras trepadoras anuales y producen una gran cantidad de hermosas flores y follaje verde fresco en corto tiempo; lo que crea un efecto de abundancia en el jardín durante la primavera y el

## Avive el color siempreverde de la hiedra con trepadoras anuales.

verano. Las enredaderas de campanillas (*Ipomoea*) son muy atractivas y crecen en forma frondosa. Sus flores se abren como trompetas de colores durante un lapso prolongado.

La mayoría de las trepadoras anuales también pueden cultivarse en grandes maceteros para

ARVEJILLAS
*Las arvejillas se atan a un soporte de cañas de 2,5 m o a redes apoyadas sobre una hilera de cañas.*

Soporte construido con 8 a 10 cañas enterradas en círculo y sujetadas en la parte superior.

## CONSEJOS ÚTILES

• La mayoría no se beneficia al ser transplantada; sembrar varias semillas en un sector pequeño, reducir a un solo plantín y dejar desarrollar.

• Como alternativa, si el clima es lo suficientemente cálido, efectuar la siembra directamente en el lugar donde florecerán (con excepción de la *Cardiospermum, Cobaea, Rhodochiton* y *Thunbergia*).

• Colocar los soportes en posición antes de sembrar o plantar directamente, para evitar dañar las plantas jóvenes, en especial las raíces.

• Dejar una gran cantidad de espacio libre ya que pueden crecer en forma muy vigorosa.

• Reunir los brotes en crecimiento de las plantas jóvenes para que crezcan como arbustos.

• Eliminar las cabezuelas marchitas en forma periódica para prolongar la floración, salvo que se las cultive por sus frutos o vainas con semillas.

RHODOCHITON
ATROSANGHUINEUS
*A pesar de ser perenne, se cultiva
como anual por los matices
llamativos de sus flores, con sus
corolas alargadas de color violeta
oscuro.*

ARCO ELEGANTE
*La* Ipomoea lobata *adorna un arco
con flores color rojo exótico que
maduran durante el verano, y luego
se tornan anaranjadas y doradas.*

adornar patios, o se les puede permitir trepar entre plantas perennes o arbustos. En climas más frescos, son excelentes para decorar invernaderos, a los que aportan sombra irregular así como también colores llamativos.

## SOPORTE DE LAS TREPADORAS

La mayoría alcanza una altura aproximada de 2 a 3 m y todas se sostienen por sí mismas. Algunas, como las enredaderas de campanillas y la *Thunbergia alata*, presentan tallos que se entrelazan; las arvejillas y la eccremocarpus se unen a través de delicados zarcillos, mientras que la tropaeolums y la rhodochiton trepadoras fijan sus hojas-tallo alrededor de cualquier soporte.

Las trepadoras pueden sujetarse obeliscos o pérgolas, bastidores de madera, cercos, alambres sujetos a la pared, o en un soporte simple de cañas o cilindro de alambre tejido. Se recomienda sujetar las plantas jóvenes con anillos de alambre o tanza hasta que puedan sostenerse por sí solas. Deslizar los tallos grandes con ramificaciones por el suelo para crear una atractivo matorral.

ALEGRE Y FRONDOSA
*Además de ser frondosa, la capuchina canaria
(*Tropaeolum peregrinum*) posee una gran cantidad de
flores pequeñas pero hermosas.*

# ANUALES Y BIENALES PERFUMADAS

E N EL AFÁN DE LOGRAR atractivas combinaciones de colores, con gran frecuencia, no se tiene en cuenta la fragancia de las flores. Sin embargo, el perfume es la esencia de un jardín durante la primavera y el verano. En lo que respecta a fragancias, las plantas anuales y bienales las tienen en cantidad. Estas plantas también atraen insectos útiles, como mariposas y abejas que polinizan las flores y ayudan a mejorar el aspecto armonioso general.

## LAS FLORES Y EL FOLLAJE

Todas las mezclas de semillas utilizadas en el jardín o borduras deberían incluir plantas perfumadas. Un ramillete de flores recién cortadas no estaría completo sin, al menos, algunas flores perfumadas. En el momento de elegir plantas anuales y bienales con perfume, es importante tener en cuenta que no todas las variedades poseen perfume; por ejemplo, las variedades blancas de la planta de tabaco (*Nicotiana*) son muy perfumadas, mientras que la mayoría de las otras variedades prácticamente no poseen perfume. Con las petunias ocurre lo mismo, dado que las flores azules y violetas son más perfumadas que los otros colores.

En el caso de algunas plantas anuales, como las plantas de tabaco y cierta variedad de alhelí (*Matthiola*), producen perfume principalmente durante el atardecer y la noche. También pueden colocarse cerca de las ventanas para perfumar la casa durante la noche.

Algunas plantas anuales y bienales no llaman la atención por sus flores, pero son apreciadas por la intensidad de su perfume; la reseda (*Reseda odorata*) es una planta de perfume intenso y sumamente dulce.

Obviamente, no todas las plantas anuales de jardín poseen flores perfumadas. Algunas presentan hojas aromáticas, en especial cuando se las desmenuza. Se desarrollan mejor en macetas o cerca de senderos de manera de rozarlas al pasar; se recomienda probar los geranios de hojas perfumadas o, para obtener un perfume más intenso, las *Tagetes*.

PERFUME NOCTURNO
*Las variedades de* Matthiola incana *se cultivan como anuales y dan un perfume intenso al atardecer.*

DULCES Y PEQUEÑAS
*Cultive mastuerzo marino, en este caso* Lobularia maritima *serie "Easter bonnet", para disfrutar de su dulce perfume.*

## ATRAER LA FAUNA SILVESTRE

Las anuales y bienales perfumadas atraen la fauna silvestre. Los dos atributos más importantes que una flor necesita para atraer insectos son perfume y color. El gran volumen de las flores con fragancia y color de las plantas anuales y bienales, en especial las variedades tradicionales de los jardines domésticos, como la lunaria (*Lunaria annua*) y el phlox, las convierte en perfectos señuelos de insectos. El azul y el

> ## Las polillas diurnas visitan las petunias y las nocturnas las plantas de tabaco.

amarillo atraen particularmente a las abejas, mientras que el blanco hace lo suyo con las polillas.

Además de perfume, las flores producen una gran cantidad de polen, en especial, las margaritas grandes, que atraen moscas y escarabajos. La presencia de una mayor cantidad de insectos en el jardín atrae aves y pequeños mamíferos, para hacer del jardín un refugio para todos.

MIEL PARA LAS ABEJAS
*Las flores dobles, como las de* Salvia viridis, *son adecuadas para atraer abejas al jardín durante el verano.*

INVITACIÓN PRIMAVERAL
*La* Limnanthes douglasii *atrae mariposas y abejas durante la primavera por su gran cantidad de néctar dulce.*

# DISEÑOS Y ESTILOS DE PLANTACIÓN

## ELECCIÓN DEL ESTILO DE PLANTACIÓN

LAS PLANTAS ANUALES Y BIENALES son excelentes para dar color con rapidez a través de diversos estilos. Pueden resultar atractivas por sí solas o pueden mezclarse con plantas permanentes, pero lo mejor es utilizarlas con armonía siguiendo el estilo de plantación de los alrededores. La mayoría necesita lugares soleados o con sombra parcial y, con frecuencia, no son exigentes con respecto al tipo de suelo, pero con un buen drenaje. Las siguientes páginas aportan ideas para macizos, borduras y macetas.

### ANUALES Y BIENALES EN BORDURAS

La forma tradicional de utilizarlas consiste en destinar una bordura o macizo entero para ellas y crear un efecto impactante de formas y colores durante los meses de primavera y verano. Siguen siendo un elemento clave para los jardines domésticos, donde las plantas de diversas formas, alturas y colores se entremezclan en borduras informales con plena libertad. Si no se cuenta con el espacio necesario para una bordura que permanecerá rala durante cierta parte del año, es conveniente agregar un toque de textura y color estacional con plantas anuales y bienales para llenar los espacios vacíos en borduras herbáceas y de arbustos. También se las puede utilizar para lograr un efecto agradable en jardines nuevos, mientras se desarrollan las plantas permanentes.

COMBINACIÓN DE COLORES

*Los colores cálidos utilizados en una paleta limitada y la variación de formas pueden ser atrayentes sin resultar cargados. En este caso, los coreopsis de flores doradas y las maravillas africanas se entremezclan con espigas de salvia azul y blanca y las delicadas verbenas color malva.*

RDURA DE VERANO *Las anuales aportan colores cálidos para dar vida a las plantas permanentes.*

# LA BORDURA ANUAL

Esta bordura de verano con plantas anuales resistentes, fue sembrada en forma directa en una zona soleada y reparada. Las plantas se ubican escalonadas desde el seto de tejo hacia abajo y hasta el frente, mientras que las onoquiles y la Convolvulus compiten con las llamativas amapolas de California. Detrás de ellas, las margaritas, amapolas, arañuelas y siemprevivas. Detrás, altas espigas de espuelas de caballero y neguillones rosados contrastan con la malva arbórea blanca y la rudbeckia color bronce.

## DISEÑO DE PLANTACIÓN

1 *Agrostemma githago* "Milas", 70–80 cm de alto
2 *Rudbeckia hirta*, 70–90 cm de alto
3 *Lavatera trimestris* "Mont Blanc", 60–80 cm
4 *Consolida ajacis* serie "Imperial" 90–120 cm
5 *Dimorphotheca pluvialis*, 20–30 cm de alto
6 *Bracteantha bracteata*, 80–90 cm de alto
7 *Papaver rhoeas* serie "Shirley" 60–70 cm de alto
8 *Nigella damascena* serie "Persian Jewels" 45 cm
9 *Anchusa capensis* "Blue Angel", 20 cm de alto
10 *Eschscholzia californica*, 30 cm de alto
11 *Convolvulus tricolor* "Royal Ensign", 20–30 cm

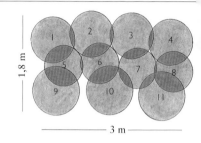

1,8 m — 3 m

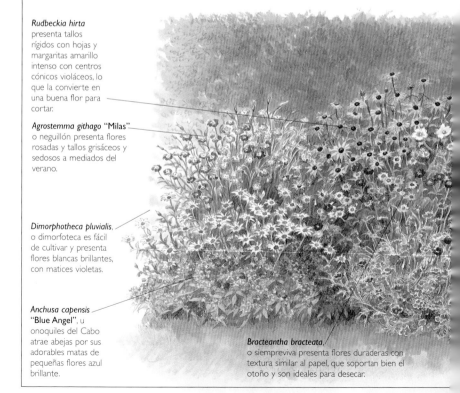

*Rudbeckia hirta* presenta tallos rígidos con hojas y margaritas amarillo intenso con centros cónicos violáceos, lo que la convierte en una buena flor para cortar.

*Agrostemma githago* "Milas" o neguillón presenta flores rosadas y tallos grisáceos y sedosos a mediados del verano.

*Dimorphotheca pluvialis*, o dimorfoteca es fácil de cultivar y presenta flores blancas brillantes, con matices violetas.

*Anchusa capensis* "Blue Angel", u onoquiles del Cabo atrae abejas por sus adorables matas de pequeñas flores azul brillante.

*Bracteantha bracteata*, o siempreviva presenta flores duraderas con textura similar al papel, que soportan bien el otoño y son ideales para desecar.

## OTRAS OPCIONES

**ALTAS** (más de 90 cm)
*Atriplex hortensis*
*Malope trifida*
*Tropaeolum majus*

**MEDIANAS**
(entre 30 y 90 cm)
*Antirrhinum majus*
*Borago officinalis*
*Chrysanthemum carinatum*

*Echium vulgare*
*Gypsophila elegans*
*Reseda odorata*

**PEQUEÑAS**
(menos de 30 cm)
*Calendula officinalis*
*Iberis umbellata*
*Layia platyglossa*
*Linum grandiflorum*

*ESCHSCHOLZIA CALIFORNICA*
*Las amapolas de California comienzan a florecer a principios del verano; al eliminar las cabezuelas florales marchitas en forma periódica se ayuda a prolongar la aparición de flores hasta avanzado el otoño.*

Lavatera trimestris **"Mont Blanc"** forma un arbusto compacto en el que se desarrolla una sucesión de flores blancas desde el verano hasta el otoño.

**Consolida ajacis**, o espuelas de caballero presenta largos tallos que dan flores en la gama de los azules, blancos, rosados, violetas y rojos; todas ellas pueden cortarse y desecarse.

Nigella damascena serie **"Persian Jewels"** o arañuela es una planta típica de jardines domésticos, y posee un follaje plumoso con flores blancas, azules y rosadas, y bellas vainas de semillas.

*CONVOLVULUS TRICOLOR*
*La variedad "Royal Ensign" es una enredadera arbustiva no trepadora. Cada flor se abre con el sol y vive un día, pero aparecen muchas más durante todo el verano.*

Papaver rhoeas serie **"Shirley"** consiste en una hermosa selección de adormideras, principalmente de suaves matices rosados, anaranjados y malva.

# UNA BORDURA COMBINADA

En esta bordura herbácea informal se combinan plantas anuales y bienales perennes. Las espigas altas de los gordolobos y digitales bienales se entremezclan con matas de campánulas perennes y margaritas leucantheum. Abajo, matas de siemprevivas, acianos, linums y lobelias anuales se combinan con achileas, bergenias, salvias y uñas de gato perennes para darle color a la bordura con matices de estación. Una pirámide de campanillas azules le da un toque final.

*LINUM GRANDIFLORUM* "Rubrum" *es una planta anual que presenta tallos delicados similares a varas y flores atractivas que duran todo el verano.*

**Digitalis purpurea**, o digital silvestre presenta espigas altas de flores violetas que atraen abejas. Se recomienda cuidar los plantines autogerminados en los años siguientes.

**Sedum spectabile**, forma una mata frondosa de follaje grisáceo, siempreverde en las zonas templadas. Sus flores violetas o rosadas aparecen hacia fines del verano y atraen mariposas.

**Achillea filipendulina** "Gold Plate", es una milenrama que posee flores aplanadas y tallos firmes. Perdura por un tiempo prolongado y resulta ideal para desecar.

**Salvia × superba** es una salvia perenne. Forma grupos de tallos erguidos con espigas con flores azul intenso de larga duración.

**Lobelia** "Crystal Palace" es una planta anual arbustiva y de poca altura. Se utiliza para delimitar borduras y florece desde principios del verano hasta el otoño.

**Eschscholzia lobbii** es una delicada amapola de California, que forma pequeñas matas de follaje plumoso adornado con grupos de pequeñas amapolas amarillas satinadas.

**Centaurea cyanus**, es un aciano anual apreciada por sus flores escaroladas la gama del rosado, violeta, azul y bla Se recomienda utilizar una variedad enana para el frente de la bordura.

## DISEÑO DE PLANTACIÓN

1 *Verbascum chaixii*, 100–130 cm de alto
2 *Achillea filipendulina* "Gold Plate", 100 cm
3 *Digitalis purpurea*, 100–140 cm de alto
4 *Ipomoea tricolor* "Heavenly Blue", 2–3 m
5 *Lavatera trimestris*, 70–90 cm de alto
6 *Salvia × superba*, 80–90 cm de alto
7 *Sedum spectabile*, 40–50 cm de alto
8 *Campanula persicifolia*, 80–90 cm de alto
9 *Centaurea cyanus*, 60–90 cm de alto
10 *Leucanthemum × superbum*, 90–100 cm
11 *Lobelia* "Crystal Palace", 10–20 cm de alto
12 *Eschscholtzia lobbii*, 15 cm de alto
13 *Linum grandiflorum* "Rubrum", 45 cm de alto
14 *Bergenia* "Silberlicht", 30–40 cm de alto

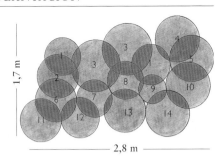

1,7 m — 2,8 m

*Campanula persicifolia* da campanillas blancas o azules desde principios hasta fines del verano.

*Verbascum × chaixii*, es un gordolobo perenne cultivado como anual que presenta espirales de flores amarillo claro con forma de platillo que nacen de rosetas de hojas grisáceas y carnosas.

IPOMOEA TRICOLOR "Heavenly Blue" *es una enredadera de campanillas de hasta 3 m de altura en un solo verano y requiere una temperatura mínima de 5° C.*

*Lavatera trimestris*, es una planta anual de la familia de la malva que desarrolla flores sedosas, blancas o rosadas, con forma de embudo, durante todo el verano.

## OTRAS OPCIONES

**ALTA** (más de 90 cm)
*Silybum marianum*
*Tithonia rotundifolia*

**MEDIANA**
(entre 30 y 90 cm)
*Scabiosa atropurpurea*
*Tanacetum parthenium*

**PEQUEÑA** (menos de 30 cm)
*Linaria maroccana*
*Phacelia campanularia*

*Leucanthemum × superbum*, es una perenne que forma matas y produce margaritas grandes con centros amarillos que son excelentes para cortar.

*Bergenia* "Silberlicht" presenta ramas de flores durante la primavera, pero su mayor valor son sus hojas siempre verdes.

# MACIZOS TRADICIONALES

L A DISCIPLINA DE LOS MACIZOS TRADICIONALES otorga un contraste simple a la informalidad de las borduras anuales combinadas. Tradicionalmente, los grandes macizos se llenan con plantas anuales y perennes de corta vida, en diseños geométricos simples o complejos para crear un esquema nuevo cada año. El diseño de plantación en la página siguiente sigue los mismos principios de líneas bien delimitadas y bloques de diversos colores, pero en una escala adecuada para un jardín pequeño.

## CREACIÓN DE UN ESTILO TRADICIONAL

Los diseños tradicionales son los más adecuados para zonas abiertas, soleadas, pero no demasiado expuestas, donde puedan apreciarse desde todos sus ángulos. El suelo también necesita un buen drenaje, pero que aun así retenga la humedad. Las variedades enanas más compactas son ideales, así como también aquellas de floración prolongada. Pueden combinarse flores o follaje grandes y vigorosos con variedades pequeñas de colores similares o contrastantes. Además, pueden crearse algunos efectos encantadores con mezclas de colores opacos. Por último, debe tenerse en cuenta que el macizo tradicional resulta mucho más efectivo si todas las plantas alcanzan su desarrollo al mismo tiempo.

### PLANTACIÓN TRADICIONAL

• Dibujar el diseño a escala sobre papel cuadriculado. Evitar los diseños muy complejos.
• Marcar el diseño elegido sobre el suelo con cañas y sogas, o arena.
• Elegir con cuidado las plantas para los límites permanentes; deben permanecer pequeñas y no necesitar poda periódica.
• Transplantar las plantas anuales, en especial las resistentes, en el macizo; no sembrarlas directamente.
• Usar plantas con follaje así como también aquellas con formas y colores de flores adecuados.
• Podar y eliminar las cabezuales florales marchitas de las plantas en forma periódica.
• Asegurarse de regar en forma apropiada ya que, de lo contrario, el crecimiento será desparejo.

### FORMA Y DISEÑO
*Los márgenes circulares de* Leucanthemum *"Show Star" delimitan un macizo tradicional dominado por las flores y el follaje llamativos de las lilas canáceas. Las espigas de la salvia anual se ubican al costado y el rojo de las canáceas se repite en los geranios mezclados en los macizos linderos.*

SOMBRA NATURAL *Diseño ondulante de* Senecio cineraria *plateada y* Begonia semperflorens *roja.*

# UN MACIZO TRADICIONAL

En este caso, observamos un diseño cuadrado dentro un boj enano podado con prolijidad para lograr una línea definida y rodeado por grava. La pieza central es un ricino de hojas grandes y color bronce que equilibra las espiguillas caídas del amaranto. A su alrededor, triángulos enfrentados de salvias violeta y geranios rosados llaman la atención. Las hileras bajas de las orillas de tagetes dorados e impatiens color rosado salmón terminan en esquineros de lobelias azules y agératos.

## DISEÑO DE PLANTACIÓN

1 *Buxus sempervirens* "Suffruticosa", 1 m de alto
2 *Ageratum houstonianum* "Adriatic", 15–20 cm de alto
3 *Impatiens walleriana* serie "Super Elfin", 15–20 cm
4 *Lobelia* "Cambridge Blue", 15 cm de alto
5 *Pelargonium* "Multibloom Pink", 30–40 cm de alto
6 *Tagetes* "Golden Gem", 20 cm de alto
7 *Amaranthus caudatus*, 60–90 cm de alto
8 *Ricinus communis*, 100–120 cm de alto
9 *Salvia splendens* serie "Cleopatra", 30 cm de alto

*AMARANTHUS CAUDATUS*
*Esta maravillosa planta presenta hojas gruesas y hermosas, espiguillas colgantes de flores rojo bermellón. Se la conoce comúnmente como amaranto rojo.*

*Salvia* **splendens** serie "**Cleopatra**" es una salvia de flores violetas. Crece en forma de arbusto y florece durante el verano.

## PLANTAS RECOMENDADAS PARA SETOS VIVOS

Las mejores plantas para los límites de los macizos tradicionales son las variedades enanas que pueden soportar la poda periódica. Las siempre verdes son las que se utilizan con mayor frecuencia para proporcionar una marco permanente donde sea posible plantar nuevos macizos cada año.

El seto vivo puede tardar tres o cuatro años luego de su plantación para alcanzar la altura y forma deseadas.

*Buxus sempervirens*
"Suffruticosa"
*Lavandula angustifolia*
(variedades compactas)

*Lonicera nitida*
*Santolina chamaecyparissus*
*Satureja montana*
*Teucrium fruticans*
*Thymus × citriodorus*
*Thymus vulgaris*

*Ricinus communis*, o ricino es un arbusto que se cultiva con frecuencia como planta anual. Posee un follaje impactante, de hojas lobuladas color bronce rojizo, violeta o verde intenso.

*Lobelia* "Cambridge Blue" es una planta muy común en los macizos, en especial para los límites, ya que forma matas compactas con flores azul pálido.

*Buxus sempervirens* "Suffruticosa", como todo boj, es una planta siempre verde de crecimiento lento, ideal para setos vivos. Alcanza una altura de 1 m, pero puede mantenérselo por la mitad si se lo poda dos veces por año.

*Tagetes* "Golden Gem" es una tagetes "Signet" que da flores que duran varios días.

*Pelargonium* "Multibloom Pink", a pesar de ser una planta perenne delicada, se cultiva con gran frecuencia como anual, y florece con rapidez y en forma abundante a partir de semillas.

*AGERATUM HOUSTONIANUM* "Adriatic" y otras variedades enanas del agerato producen matas pequeñas de follaje ordenado y colmado de flores con forma de pompones durante varias semanas.

*Impatiens walleriana*, o balsamina, posee variedades enanas muy elegantes con flores de color rosado. Florece más libremente si se eliminan las cabezuelas florales en forma periódica.

# CULTIVO EN MACETAS

UNA GRAN CANTIDAD DE PLANTAS ANUALES, BIENALES Y PERENNES cultivadas como anuales prosperan en macetas. Son ideales para jardines pequeños y adornan patios, ocupan espacios libres en borduras de verano y engalanan paredes y ventanas. Cuando las plantas de una maceta se marchitan, otras puede reemplazarlas y siempre se tiene a la vista una maceta florida. En las páginas siguientes aparece una gran cantidad de ideas para plantar en macetas.

## ELECCIÓN DEL RECIPIENTE ADECUADO

La elección del recipiente adecuado es una decisión muy personal. Se consigue en estilo simple u ornamental, de diversos colores, incluso de cemento, cerámica, terracota, plástico, metal y madera. Además de macetas y jardineras, puede aprovecharse el espacio que proporciona una pared con canastas colgantes o maceteros de pared. Otra opción consiste en las columnas o pilares de flores que pueden albergar decenas de plantas para crear efectos maravillosos en espacios reducidos. Si no se dispone de jardín, los maceteros de ventana, sujetos en forma adecuada, sirven para contener plantas.

Al elegir los recipientes, es importante considerar cómo se complementan los colores y las texturas con el ambiente donde serán colocadas. En caso de agrupar macetas, no es conveniente utilizar demasiados estilos y colores ya que, de otra forma, el efecto no será armonioso.

### CONSEJOS ÚTILES

• Elegir recipientes amplios y profundos para permitir que las raíces se desarrollen correctamente.

• Los recipientes pequeños se secan con mayor rapidez y requieren de un riego más frecuente.

• Colocar las macetas de mayor tamaño en su lugar antes de introducir las plantas en ellas, ya que pueden tornarse demasiado pesadas.

• Elegir un compost que retenga la humedad, por ejemplo un compost para macetas a base de tierra.

• Agregar gránulos que retengan la humedad y fertilizantes de efecto lento para que crezcan más tiempo.

• Ubicar las macetas en lugares protegidos del sol o en sombra parcial

• Mantener los orificios de drenaje destapados para lo cual debe colocarse la maceta a 15 cm sobre el nivel del piso; la mitad de un ladrillo resulta ideal.

• Asegurarse de que canastas, pilares y otros recipientes para paredes se encuentren bien sujetos.

DELICADO ENCANTO
*Los placeres más delicados de las plantas anuales, como estos pensamientos,* Viola *"Sorbet Yellow Frost", se disfrutan quizás cuando se los planta en forma individual en macetas, lejos de otras plantas más llamativas.*

CASCADA DE FLORES *Canastas y macetas colmadas de lobelias, balsaminas y geranios.*

# MACETAS EN GRUPO

Las plantas de maceta, cuyo tamaño puede variar entre 23 y 75 cm, con un mantenimiento adecuado y mediante la eliminación de las cabezuelas florales marchitas, pueden vivir hasta el otoño. El punto de interés del grupo está centrado en la *Thunbergia alata* que trepa por un trípode de caña. Se obtiene una mayor altura y volumen gracias a las nicotianas y los geranios. Las lobelias, amapolas, capuchinas y verbenas en pleno desarrollo crean otras posibilidades de forma y color.

**NICOTIANA "VERDE LIMA"**
*Esta planta de tabaco posee flores de un color verde lima exótico que contrasta perfectamente con los violetas y los rojos. También dan un agradable perfume durante la noche.*

*Thunbergia alata* es una trepadora de flores que se entrelazan. Sus flores pueden ser de color damasco, rosado, blanco, crema o anaranjado, pero siempre con centros negros; y se las conoce como tumbergias.

*Scaevola aemula* "New Wonder" es similar a la lobelia, pero más expansiva que rastrera, con flores azules más grandes y gruesas.

Lobelia "Sapp presenta tallo delgados y rastreros, y grandes flores dobles color zafiro.

*Tropaeolum majus* "Hermine Grashoff" presenta un follaje con caída y flores dobles muy vistosas y perfumadas de color rojo anaranjado. No es posible cultivarlo a partir de semillas; pero pueden extraerse gajos.

*Sutera grandiflora* "Sea Mist" presenta delicados tallos rastreros y una gran cantidad de flores pequeñas que quedan perfectas si se las deja caer por sobre el canto de la maceta.

## DISEÑO DE PLANTACIÓN

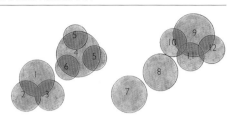

1 *Nicotiana* "Verde Lima", 50–60 cm
2 *Tropaeolum majus* "Hermine Grashoff", 20–30 cm de alto
3 *Sutera grandiflora* "Sea Mist", 15–30 cm de alto
4 *Thunbergia alata*, 2–3 m de alto
5 *Lobelia* "Sapphire", 20 cm de alto
6 *Scaevola aemula* "New Wonder", 20–30 cm de alto
7 *Gazania* serie "Daybreak", 20 cm de alto
8 *Impatiens* serie "Super Elfin", 20–50 cm de alto
9 *Pelargonium* "Multibloom Pink", 40–60 cm de alto
10 *Mimulus* serie "Malibu", 20–50 cm de alto
11 *Verbena* "Imagination", 20–30 cm de alto
12 *Torenia fournieri* "Blue Moon", 20–40 cm de alto

## OTRAS OPCIONES

### FRONDOSAS
*Browallia speciosa*
*Salpiglossis sinuata*
*Schizanthus pinnatus*

### RASTRERAS
*Bidens ferulifolia*
*Sanvitalia procumbens*

### CON FOLLAJE
*Helichrysum petiolare*
*Solenostemon scutellarioides*

*Mimulus* serie "Malibu" prospera en compost húmedo. Sus flores con forma de trompeta color crema, amarillo, anaranjado, rosa o rojo llaman con frecuencia la atención.

*Pelargonium* "Multibloom Pink" es uno de los geranios de maceta frondosos y floridos más modernos, ideal para cualquier maceta.

*Gazania* serie "Daybreak" es una planta llamativa con forma de mata que presenta margaritas rosadas, blancas, anaranjadas, amarillas o bronce, que se abren con la luz del sol.

*Torenia* "Blue Moon" es una planta tupida anual con flores de dos tonos, violetas y azules que viven hasta avanzado el otoño.

*Verbena* "Imagination" tiende a ser semirrastrera y da grupos de flores color violeta azulado brillante.

*Impatiens* serie "Super Elfin", una variedad de la conocida balsamina, es ideal para macetas, y presenta matices rojos, rosados, anaranjados, malva o blancos.

# MACETEROS COLGANTES

Como los demás recipientes, los maceteros colgantes requieren un riego diario y es necesario eliminar las cabezuelas florales marchitas en forma periódica para conservar las plantas en pleno desarrollo. No tema colmar las macetas de plantas anuales, en especial las macetas colgantes. No se las ve bien con poca cantidad de follaje, pero sí con una sola variedad. En los maceteros de ventana se logra un mejor efecto al combinar diversas variedades de plantas.

## DISEÑO DE PLANTACIÓN PARA UN MACETERO DE VENTANA

1 *Sutera grandiflora* "Knysna Hills", 30 cm
2 *Exacum affine*, 20–30 cm de alto
3 *Torenia fournieri* "Blue Moon", 40 cm
4 *Tagetes* "Tangerine Gem", 20 cm de alto
5 *Lobelia* "Snowball", 20 cm de alto
6 *Brachyscome iberidifolia*, 40 cm de alto
7 *Verbena* "Tapien Pink", 20 cm de alto
8 *Begonia semperflorens* híbrida, 30 cm
9 *Impatiens walleriana* serie "Tempo", 23 cm de alto

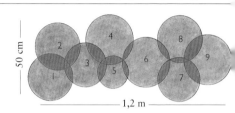

*Tagetes* "Tangerine Gem", o tagetes "Signet", es una planta anual robusta de hojas espinosas y margaritas de gran duración de color anaranjado.

*Lobelia* "Snowball" es una variedad frondosa de follaje verde pálido y una gran cantidad de flores blancas y brillantes.

*Exacum affine*, se cultiva con gran frecuencia como planta de interiores, pero puede crear un efecto magnífico en un macetero de ventana. Presenta un follaje carnoso verde brillante y flores violeta azulado con estambres amarillos.

*Torenia fournieri* "Blue Moon" es una flor que se utiliza también para macizos de verano o como planta de interiores.

*Sutera* "Knysna Hills" con sus tallos semirrastreros y numerosas flores, resulta ideal para suavizar los cantos de los maceteros.

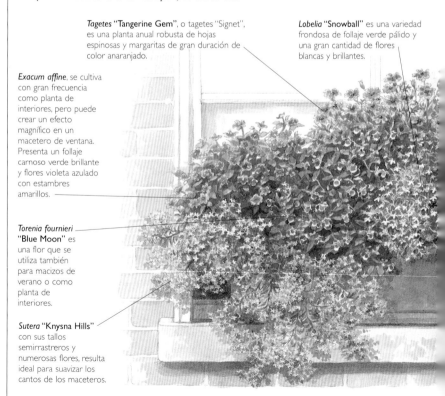

*Petunia* serie **"Surfinia"** resulta ideal para canastas colgantes, ya que presenta la característica de ser rastrera, y las flores son de larga duración. Crece en forma abundante durante una larga temporada y es sumamente resistente a los cambios de clima. Un efecto similar se puede lograr con geranios de hojas de hiedra.

## OTRAS OPCIONES

### CANASTAS COLGANTES

*Bidens ferulifolia*
*Diascia* (variedades rastreras)
*Impatiens walleriana*
*Lobelia erinus* (en especial, las variedades rastreras)
*Verbena*

### MACETEROS DE VENTANA

*Capsicum annuum*
*Erysimum cheiri*
*Felicia amelloides*
*Impatiens hawkeri* "New Guinea"
*Nolana humifusa*
*Pelargonium* (variedades rastreras y de hojas de hiedra)
*Petunia*
*Sanvitalia procumbens*
*Scaevola aemula*
*Senecio cineraria*

*Brachyscome iberidifolia*, o margarita "Swan River", es una bella planta anual semirrastrera con follaje levemente disecado y una gran cantidad de margaritas pequeñas; cada una con un centro amarillo suave.

*Begonia semperflorens* es una planta anual tupida y frondosa de flores "azucaradas" en la gama del rosa, rojo, violeta o blanco que florece desde el verano hasta el otoño.

*Impatiens walleriana* es la alegría del hogar. Prospera al sol o en sombra parcial y es una de las mejores plantas para maceta. La variedad "Tempo" presenta flores en una amplia gama de colores, con excepción del azul y el amarillo.

*Verbena* **"Tapien Pink"** es una planta de hojas plumosas y ramilletes chatos de flores rosas. Da flores libremente durante una larga temporada.

# CUIDADO DE LAS PLANTAS

## LA CLAVE DEL ÉXITO

LAS ANUALES Y BIENALES, por lo general, no requieren de un cuidado intensivo, pero para obtener un resultado óptimo, debe prestarse especial atención a la plantación y al cuidado. Invertir un poco de tiempo en la preparación del suelo, y elegir plantas adecuadas para el tipo de suelo y lugar disponible. Se obtendrá una sucesión de flores desde fines de la primavera hasta el otoño.

### PREPARACIÓN DEL SUELO

Una bordura repleta de plantas anuales de colores crea un efecto maravilloso. Elija lugares abiertos y soleados, en especial, aquellos alejados de los árboles con demasiada caída, con un suelo pobre, ya que la mayoría de las plantas anuales prosperan en suelos comunes de buen drenaje. Es conveniente abordar la preparación del suelo en otoño y completarla en pocos días para que la tarea resulte menos complicada.

### PREPARACIÓN DEL SUELO

• Quitar las malas hierbas, como las correhuelas o la grama, si es necesario, mediante la aplicación de herbicidas de acción sistémica.

• Rastrillar el suelo. Si estuviera demasiado compacto, remover la tierra hasta una profundidad del largo de la hoja de la pala.

• Eliminar malas hierbas y rastrillar para nivelar.

• Agregar un fertilizante de efecto lento.

• Examinar el lugar en forma periódica.

Crecimiento tupido y frondoso

Crecimiento desequilibrado

COMPRAR PLANTAS
*En el momento de comprar una planta para macizos, es aconsejable elegir una fuerte y sana; de follaje verde brillante y sin enfermedades. Es importante evitar cualquier planta con hojas amarillentas, crecimiento desparejo, compost reseco y con malas hierbas o raíces poco desarrolladas, casi nunca prosperan ni florecen como corresponde.*

PLANTA SANA

PLANTA NO SANA

COMBINACIÓN PERFECTA *Las digitales altas y espigadas se desarrollan por encima de adormideras carmesí.*

# SIEMBRA PROTEGIDA DE SEMILLAS

EL CULTIVO DE PLANTAS A PARTIR DE SEMILLAS es una experiencia gratificante. Las plantas anuales son ideales para aquellos jardineros que recién se inician o son impacientes y quieren resultados rápidos ya que, con frecuencia, maduran y florecen pocas semanas después de la siembra. En climas templados, es aconsejable sembrar las semillas de la mayoría de las plantas anuales semirresistentes y delicadas bajo algún tipo de protección para transplantar los plantines, una vez terminada la temporada de heladas.

## SIEMBRA EN BANDEJA

Las bandejas medianas resultan adecuadas para la siembra de una gran cantidad de semillas. Utilizar siempre recipientes limpios y compost fresco y esterilizado para evitar enfermedades y contaminación. Si el compost es demasiado grueso, pasarlo primero por un tamiz para obtener una superficie de textura fina para sembrar. Una vez sembradas, el lugar ideal para colocarlas es un invernadero, pero el alféizar de una ventana también resulta apropiado.

**1** **Afirmar el compost** en la bandeja con ayuda de otra bandeja, de una tabla o bien con la mano, a 1 cm por debajo del borde. Regar bien; dejar drenar.

**2** **Sembrar las semillas** espaciadas y, en caso de tratarse de semillas grandes, agregar una capa delgada de compost para cubrirlas. Realizar el etiquetado de las bandejas.

**3** **Cubrir con plástico o vidrio** para mantener la humedad. Colocar en un lugar iluminado, pero no al sol. Retirar la cubierta una vez germinadas las semillas.

## SIEMBRA EN MACETA

Para pocas semillas, pueden utilizarse macetas de arcilla, plástico o biodegradables. El método para sembrar es el mismo que en bandeja (ver explicación anterior). No es conveniente apisonar el compost en exceso ni sembrar las semillas muy cerca unas de otras, ya que, de otra forma, podrán infectarse con hongos. Etiquetar cada maceta para evitar una posterior confusión.

USO DE VERMICULITA
*Cubrir las semillas con una capa delgada de vermiculita o arenilla para mantener la humedad de las semillas y protegerlas al regarlas.*

Espaciar las semillas en forma pareja.

MACETA BIODEGRADABLE
*Sembrar dos o tres semillas grandes. Dejar solo un plantín. Transplantar todo para no dañar las raíces.*

# CUIDADO DE LOS PLANTINES

Para desarrollarse sanos, los plantines necesitan luz intensa y humedad. Si sufren de falta de luz (ver a la derecha), no crecen con fuerza, pero por otro lado también pueden dañarse al rayo del sol. No debe permitirse que se sequen. Si el compost drena libremente, el riego excesivo no ocasionará problemas.

No permitir que los plantines permanezcan durante demasiado tiempo en la bandeja ya que crecerán demasiado juntos y desarrollarán extensos sistemas de raíces que dificultarán la tarea de transplantarlos (ver abajo). La mejor época para transplantar es cuando presentan una o dos hojas verdaderas que se desarrollan luego de las dos primeras, que son hojas de semilla.

Tallos largos

## IMPORTANCIA DE LA LUZ

*Una vez que las semillas hayan germinado, es importante asegurarse de que los plantines reciban luz en forma pareja. En caso contrario, se tornan débiles y pálidos Girar los recipientes en forma periódica para que los plantines no se inclinen hacia un único lado.*

**1** Con cuidado, retirar los plantines del compost con una varilla o un lápiz. Sujetar cada uno de ellos por los cotiledones; si se daña el delicado tallo, es probable que el plantín muera.

**2** Insertar los plantines en recipientes con compost nuevo para macetas. Espaciarlos en forma pareja en línea e insertarlos en un hueco profundo, como para cubrir las raíces. Regar con rociador.

## USO DE BANDEJA CON DIVISIONES

Las bandejas con divisiones vienen en diversos tamaños y materiales. Los plantines pueden desarrollarse sin problemas, cada uno en su compartimento, hasta que se encuentren en condiciones de ser transplantados a una maceta o a la intemperie. Las semillas pueden sembrarse en forma directa en divisiones pequeñas, o bien pueden transplantarse los plantines en divisiones de mayor tamaño. Los compartimentos se resecan con gran rapidez, por eso es importante controlar el riego.

### PLANTÍN

*Es sencillo mantener intactas las raíces de un plantín al retirarlo de una de las divisiones de la bandeja.*

# SIEMBRA DE SEMILLAS AL AIRE LIBRE

L A MAYORÍA DE LAS PLANTAS ANUALES, en especial las resistentes y las semirresistentes, resultan ideales para el aire libre. Conviene plantar en cualquier suelo en buen estado y con buen drenaje, pero la preparación del mismo (ver pág. 45) es la clave para obtener resultados óptimos. Es aconsejable agregar un fertilizante orgánico si ya se han sembrado plantas anuales en ese mismo lugar; pero no si es la primera vez.

## SIEMBRA DE SEMILLAS AL VOLEO

La siembra al voleo es más rápida que la siembra en surcos (ver página siguiente), pero no permite utilizar la azada entre las líneas de plantines o plantas jóvenes. Para sembrar al voleo, rastrillar el suelo y trabajarlo hasta obtener una textura fina. Diseminar las semillas en la forma más pareja posible, y luego rastrillar muy suavemente el área sembrada para cubrirlas.

SIEMBRA DE SEMILLAS

CUBRIR LAS SEMILLAS

## TRAZADO DE BORDURAS ANUALES

Las plantas anuales se desarrollan mejor cuando la siembra se realiza en bloques grandes. Trazar los límites sobre la tierra, una vez preparada y rastrillada, con una varilla e hilo. Marcar el suelo con una caña, o mediante líneas de arena. Es importante que cada sector dentro de las borduras sea amplio; pues resulta más efectivo que los pequeños y discretos.

TRAZADO SOBRE EL SUELO
*Trazar líneas gruesas de arena; es más sencillo visualizar e individualizar las borduras. Delimitar un área amplia para cada tipo de semilla.*

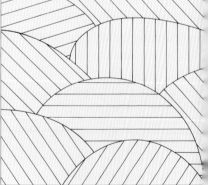

DISEÑO DE UN SECTOR PARA LA SIEMBRA
*Los surcos de los sectores adyacentes deben trazars en diferentes direcciones. Marcarlos con una caña, con una separación de entre 10 y 12 cm.*

# SIEMBRA EN SURCOS PARA BORDURAS

Es importante la previa confección de un diseño en borrador, antes de comenzar la siembra en los sectores marcados, para así sembrar plantas anuales de alturas y colores complementarios en las zonas adyacentes. Anotar los nombres para siembras futuras. Si el suelo es muy seco, regar los surcos levemente antes de la siembra. Las semillas anuales pueden sembrarse en forma más espaciada que lo habitual, dado que tienden a germinar de manera irregular.

**1** **Esparcir las semillas** en forma pareja y espaciada con las manos, en el fondo del surco. No se recomienda sembrarlas de manera muy espaciada.

**2** **Cubrir removiendo** suavemente el suelo por encima del surco. Apisonar con delicadeza y regar utilizando una una roseta fina para evitar dañar la siembra.

**3** **Una vez desarrollados los plantines**, es probable que se vean demasiado espaciados, pero pronto llenarán los surcos al aumentar su densidad. Controlar las filas en forma periódica.

**4** **Separar los plantines**, si fuera necesario, entre 5 y 6 cm o más, para plantas de mayor tamaño. Retirar los no deseados y luego apisonar alrededor de aquellos que vayan a conservarse.

# SIEMBRA DE SEMILLAS POR SEPARADO

Las trepadoras, como las enredaderas de campanillas, así como también las plantas anuales, como los girasoles, presentan semillas bastante grandes que pueden sembrarse por separado. Cavar hoyos pequeños en el suelo ya preparado, y colocar una o dos semillas en cada uno para cubrirlas luego con tierra. La ventaja de la siembra doble es que si una semilla no prospera, la otra germinará. Si ambas germinan, quitar el plantín más débil. En el momento de sembrar trepadoras anuales, colocar los soportes de caña en posición antes de sembrar.

CULTIVO DE ARVEJILLAS EN SOPORTE DE CAÑA
*Insertar dos semillas en la base de cada caña; quitar el plantín más débil una vez que tenga cuatro hojas.*

# PLANTACIÓN DE VARIEDADES ANUALES

Las plantas anuales cultivadas en bandeja común, con divisiones o en otro recipiente deben ser transplantadas al jardín o a macetas. En el caso de las resistentes, cualquier momento de la primavera puede ser el adecuado, pero para otras variedades, es preferible esperar hasta superar todo peligro de heladas. Es importante mantener las plantas en desarrollo cambiándolas de recipiente y renovando el compost periodicamente.

## PLANTACIÓN DE VARIEDADES JÓVENES EN MACIZOS

La preparación del suelo es esencial (ver pág. 45) antes de plantar las variedades anuales. Lo ideal es un suelo cálido y húmedo, en especial para las anuales delicadas. Evitar la plantación en suelos fríos o demasiado húmedos. Con cuidado, retirar las plantas jóvenes de los recipientes para evitar dañar sus delicadas raíces y plantarlas al aire libre en forma espaciada y pareja.

TRANSPLANTE DE MARAVILLAS

## PLANTACIÓN EN VENTANAS

No debe temerse recargar excesivamente los maceteros; los recipientes con poca cantidad de plantas se ven aburridos. Antes de efectuar la plantación, regar bien las plantas y decidir su disposición. Es aconsejable crear contrastes entre las plantas refinadas y aquellas que no lo son tanto, o entre las erguidas y las rastreras. Llenar el macetero con compost húmedo para macetas hasta 2 cm del borde; pueden agregarse al compost gránulos que retengan la humedad. Abonar las plantas de la maceta en forma periódica con líquidos nutrientes para asegurar el desarrollo de plantas sanas.

1 **Retirar suavemente cada planta** de su recipiente. Para ello, sostener las raíces por la base del tallo. Abrir levemente las raíces.

2 **Plantar las plantas más grandes** y resistentes en primer lugar para que los cuellos de las plantas sobresalgan 1 cm del borde, para facilitar el riego.

3 **Para finalizar, colocar las rastreras** al frente de la maceta y afirmarlas. Si fuera necesario, agregar más compost; nivelar la superficie y regar.

# CANASTAS COLGANTES

En general, la combinación de plantas anuales frondosas y rastreras se adapta bien a una canasta colgante, a pesar de que también pueden lograrse efectos agradables con una sola variedad. Una vez listas, las canastas deben permanecer por unos meses en invernadero para que logren adaptarse antes de colocarlas en el exterior. El mejor lugar para una canasta colgante es el sector más cálido del jardín, protegido de los vientos fuertes.

## CANASTA COLGANTE

*Plantar variedades rastreras y otras especies anuales sobre los costados, y las frondosas, en el centro de la canasta, para formar una especie de cúpula de flores.*

## REVESTIMIENTOS PARA CANASTAS

Las canastas, ya sean de plástico o de metal, necesitan un revestimiento para sostener el compost y conservar el agua. Entre los materiales se encuentran los revestimientos de espuma, fieltro y fibra de coco. Para obtener una mayor retención de humedad, se recomienda mezclar gránulos de retención de agua con el compost. No agregar demasiada cantidad ya que, en caso contrario, el compost aumenta de volumen y sobresale de la canasta, al igual que una torta que ha levado demasiado.

REVESTIMIENTO DE ESPUMA

**1** **Apoyar la canasta** sobre una maceta vacía. Presionar el revestimiento dentro de la canasta y quitar el excedente. Llenar la tercera parte con compost y agregar gránulos de retención de agua.

**2** Con un cuchillo afilado, hacer cortes en forma de equis del lado del revestimiento para permitir que las plantas penetren a través de las raíces. Si se utiliza musgo, los orificios pueden realizarse con el dedo.

**3** **Colocar las plantas** rastreras dentro de los cortes sin dañar las raíces. Llenar la canasta con más compost, plantar la parte superior de la canasta, apisonar suavemente y regar en forma abundante.

# PLANTAS BIENALES

ALGUNAS DE LAS HIERBAS MÁS HERMOSAS que crecen en nuestros jardines son bienales, es decir, aquellas plantas que florecen al segundo año que fueron sembradas a partir de semillas, dan semillas y luego mueren. Sin embargo, muchas presentan hermosas rosetas de hojas y se adaptan perfectamente a borduras combinadas o jardines domésticos, más que una bordura tradicional, que se extienden solo hasta fines de temporada.

## CULTIVO DE PLANTAS BIENALES

Las semillas de plantas bienales pueden sembrarse a fines del invierno o en cualquier momento, hasta principios del verano. Una gran cantidad se cultiva en invernadero y son tratadas como anuales de macizo para ser plantadas en el exterior a principios del verano, época en la que se produce su floración. Destinar una parcela para plantas bienales en algún sector de la huerta.

Se recomienda sembrar plantas bienales en bandejas preparadas a fines de la primavera o principios del verano, para luego transplantarlas en un almácigo hasta el otoño (ver abajo). En forma alternativa, sembrar las semillas espaciadas en surcos de almácigos, separar los plantines y dejar desarrollar. Colocar una red para protegerlos de las aves (ver página 54) y mantenerlos regados. Una vez desarrollados los plantines, protegerlos de babosas y caracoles.

### SELECCIÓN DE BIENALES

Estas plantas bienales son muy resistentes, y la mayoría son fáciles de cultivar a partir de semillas.

*Bellis perennis*, margarita
*Campanula médium*, campanilla de Canterbury
*Digitalis purpurea*, digital
*Eryngium giganteum*, "Miss Wilmott's ghost"
*Erysimum cheiri*, alhelí amarillo
*Lunaria annua*, lunaria
*Meconopsis betonicifolia*, falsa amapola (no resulta tan sencillo cultivarla a partir de semillas)
*Myosotis sylvatica*, nomeolvides
*Oenothera biennis*, hierba del asno
*Onorpordum acanthium*, cardo
*Smyrnium perfoliatum*, perfoliato Alexander
*Verbascum bombyciferum*

1 **Cuando los plantines** tengan entre 5 cm y 8 cm de alto, a principios del verano, retirarlos de la bandeja con una horca de mano. Mantener la mayor cantidad de tierra posible alrededor de las raíces.

2 **Trasplantar al exterior** con una separación de 15 a 20 cm, en un almácigo con surcos separados por 20-30 cm. Darles suficiente lugar a las raíces. Apisonar suavemente y regar con abundante agua.

3 **En otoño**, retirar las plantas jóvenes y transplantarlas en sus posiciones definitivas. (Si el almácigo estuviera seco antes de extraer las plantas, regar bien durante varias horas.)

## BIENALES QUE SOBREVIVEN AL INVIERNO

La mayoría de las plantas son sumamente resistentes. Sin embargo, algunas son sensibles a las lluvias del invierno y necesitan protección. Tanto las falsas amapolas como los gordolobos turcos se incluyen en esta categoría. Mientras que la mayoría permanecen siempre verdes durante el invierno, con frecuencia rosetas de hojas simétricas u otras, como la falsa amapola, se marchitan y se convierten en capullos para sobrevivir al invierno. Solo pocas, como el alhelí amarillo, se convierten en plantas frondosas, incluso el primer año.

### PRIMER AÑO DE LOS PLANTINES

*Las rosetas de hojas de la campanilla de Canterbury son siempre verdes, y solo dan tallos con floraciones durante la primavera del segundo año.*

## TRANSPLANTE DE PLANTINES AUTOGERMINADOS

Muchas bienales producen semillas que se autosiembran en el jardín. Los plantines crecen, con frecuencia, cerca de las plantas madre, a pesar de que algunas veces, las semillas vuelan a distancias considerables. No siempre resulta sencillo distinguir los plantines pequeños y de variedades bienales de las malas hierbas. Por ello,

si se desea preservar las plantas bienales, no es conveniente quitar las malas hierbas hasta tanto los plantines presenten varias hojas verdaderas. O bien quitar las malas hierbas a su alrededor con el fin de que ocupen el lugar de las plantas madre.

**1** **A fines del verano** o principios del otoño, buscar los plantines que crecen cerca de las plantas maduras (en este caso una *Digitalis purpurea*). Regar el suelo si se encuentra seco.

**2** **Retirar con cuidado** utilizando un desplantador o una horca de mano y conservar la mayor cantidad de tierra posible alrededor de las delicadas raíces, para asegurar un buen desarrollo posterior.

**3** **Volver a plantar** con una separación de 30 cm en el lugar donde las plantas florecerán al año siguiente. Apisonar suavemente y regar periódicamente hasta tanto los plantines se hayan asentado.

# CUIDADO EN LA TEMPORADA

Las plantas deben ser protegidas de las malas hierbas y plagas nocivas, y es importante utilizar soportes, si fuera necesario. Regar solo si el clima es demasiado seco. Las plantas anuales de maceta pueden nutrirse agregándole fertilizantes de efecto lento al compost o a través de líquidos nutrientes, pero aquellas ubicadas en borduras, no necesitan de fertilizantes salvo que el suelo fuera demasiado pobre.

## PROTECCIONES Y SOPORTES

Las plantas semirresistentes y las delicadas cultivadas bajo protecciones necesitan fortalecerse, antes de ser transplantadas afuera en el jardín. La defensa contra las plagas es fundamental en el caso de las plantas más vulnerables. Las anuales y bienales de alto porte o trepadoras y aquellas de tallos finos se benefician de soportes, desde ramas secas hasta cilindros de alambre tejido. Es importante colocarlo cuando las plantas son aún jóvenes; es más difícil hacerlo cuando se encuentran a mitad de desarrollo, en especial sin dañarlas.

FORTALECIMIENTO DE PLANTAS JÓVENES
*Antes de plantar variedades anuales y bienales al aire libre, aclimatarlas protegiéndolas de vientos fríos o heladas con cubiertas de plástico o vellón.*

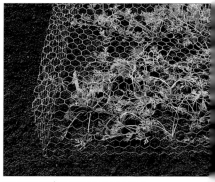

PROTECCIÓN CONTRA PLAGAS
*Las redes de plástico o alambre tejido colocadas por sobre las plantas jóvenes permiten protegerlas. También resultan necesarios los controles de babosas y caracoles.*

COLOCACIÓN DE SOPORTES
*Las ramas de guisante son ideales para las anuales ya que se pierden de vista. Colocarlas alrededor de las plantas jóvenes, pero no demasiado cerca de las raíces.*

SOPORTES ATADOS
*Sostener las plantas anuales de alto porte, en macetas o borduras, con cañas enterradas en la tierra y cuerdas que las unan (ver izquierda). En el caso de las trepadoras, es posible que sea necesario sujetar ligeramente los brotes, cuidando de no dañar el brote joven.*

# LAS FLORES MARCHITAS

Al eliminar las cabezuelas florales marchitas se prolonga la floración de una gran cantidad de plantas anuales y bienales. Esto ocurre porque, de lo contrario, las plantas destinarían su energía a producir frutos en lugar de dar flores y dejarían de florecer una vez que sus cápsulas de semillas maduraran. Las flores grandes son más fáciles de retirar, pero es muy complicado eliminar las cabezuelas de aquellas flores demasiado pequeñas, tales como la gyspsophila. Si se busca producir frutos o semillas ornamentales, eliminar solo algunas o directamente ninguna.

FLORES DE TALLO CORTO
*Cuando cada flor (en este caso, una petunia) se marchita, presionar el tallo con dos dedos y cortarlo por el nudo de la hoja inmediata inferior.*

FLORES DE TALLO LARGO
*En este caso, es más sencillo eliminar las cabezuelas marchitas. Cortar los tallos o las espigas de flores (en este caso, de una salvia) con tijeras, asegurándose de cortar cerca de las primeras hojas maduras inmediatas inferiores ya que, de lo contrario, se verán desprolijos y pueden permitir el ingreso de enfermedades a la planta.*

# TAREAS DE FIN DE TEMPORADA

Durante el otoño, principalmente después de las primeras heladas, las plantas anuales se marchitan. En este momento, es preferible deshacerse de ellas. Si la caída de semillas se tornara un problema, es aconsejable quemarlas. El suelo puede rastrillarse o removerse colocando, al mismo tiempo, compost de jardín o harina de hueso. Las plantas anuales crecen con éxito en la misma parcela de tierra durante varios años, siempre y cuando no la compartan con malas hierbas perennes que puedan infectar el lote.

PLANTAS MARCHITAS
*Utilizar un rastrillo para limpiar el suelo desde el frente hasta la parte posterior de la bordura. Tratar de no pisar ni compactar demasiado el suelo, en especial si se trata de una superficie pesada, como el suelo arcilloso.*

## CONSEJOS PARA EL RIEGO

• Algunas anuales y bienales necesitan riego abundante y periódico durante el verano. Sin embargo, la mayoría requiere de riego sólo cuando el clima es caluroso y seco.

• El riego excesivo puede provocar un crecimiento frondoso y débil, propenso a caerse con fuertes vientos. Es más beneficioso regar abundante y poco frecuente, que escasa y asiduamente.

• Rociar siempre los macizos para evitar ejercer demasiada presión sobre las plantas; es más sencillo regar macetas sin anegar las plantas.

• De ser posible, utilizar agua de lluvia o reciclada ("agua gris", con frecuencia de la cocina o del baño) para evitar el derroche. No utilizar agua con detergente.

# RECOLECCIÓN DE SEMILLAS

COSECHAR NUESTRAS PROPIAS SEMILLAS ahorra dinero. Con frecuencia, las anuales y bienales dan semillas en gran abundancia. Una gran cantidad produce plantines idénticos a las plantas madre. Las semillas de híbridos y determinadas variedades presentan un desarrollo menor, por lo que se recomienda evitarlas por completo. Sin embargo, algunas plantas anuales se convierten en híbridos en forma natural dando origen a atractivas variedades.

## EXTRACCIÓN DE LAS SEMILLAS

Las semillas se encuentran contenidas en diferentes tipos de frutos y cápsulas. En sus formas más simples, nacen en cápsulas secas; se las extrae agitando o rompiendo la cubierta. Algunas cápsulas se desintegran para dar semillas. En los cálices de las margaritas, se encuentra inserta una gran cantidad de semillas que se apoyan sobre un disco chato o cónico, y es posible extraerlas con bastante facilidad. Los frutos más complicados son aquellos pegajosos o carnosos donde la extracción puede ser tediosa y compleja.

AMAPOLAS
*Una vez madura la cápsula que contiene las semillas, aparece un anillo de poros en la parte superior. Las pequeñas semillas son extraídas agitando la cápsula. Dejarlas caer en sobres de papel.*

GRAMÍNEAS
*Las semillas se encuentran maduras cuando las flores comienzan a quebrarse. Retirar las cabezuelas florales y las ramas con la mano, y colocarlas en una bolsa. Una vez extraídas, almacenarlas en bolsas de papel.*

GIRASOLES
*La cápsula está formada por cientos de semillas insertadas parcialmente en el disco central. Cuando se seca y se vuelve marrón, significa que las semillas ya están maduras. Retirarlas sobre un papel limpio.*

LUNARIA
*Las cápsulas de semillas son aplanadas y ovales, y las semillas se encuentran adheridas a una membrana central. Desprender con cuidado la película exterior a cada lado de la membrana para extraer las semillas.*

# PREPARACIÓN Y ALMACENAMIENTO DE LAS SEMILLAS

Las semillas recolectadas en forma casera deben ser secas, y seleccionadas y almacenadas como corresponde.

Las cápsulas de semillas o frutos maduros deben encontrarse completamente secos antes de ser almacenados para evitar la aparición de moho que pueda afectar y destruir las semillas. Es frecuente encontrar una cierta cantidad (o en algunos casos, una gran cantidad) de paja o residuos mezclados con las mismas y es necesario separarlos antes del almacenamiento. Las cápsulas con textura de papel, generalmente requieren poca preparación y pueden almacenarse juntas. Las semillas de frutos carnosos deben extraerse antes que comience a descomponerse el fruto; para ello, retirarlas con la mano, una por una. Utilizar guantes para la preparación, ya que algunas pueden producir alergias en la piel, y otras son venenosas.

Almacenar siempre las semillas en sobres de papel o cajas; las bolsas de plástico aumentan la humedad y pueden descomponerse. Asegurarse de que los envases se encuentren debidamente etiquetados ya que, de lo contrario, pueden confundirse aunque se tenga la certeza de poder diferenciarlas.

### SEMILLAS SECAS
*Luego de recolectar los frutos y las cápsulas de semillas, guardarlos en cajas abiertas o bolsas de papel. Colocar las semillas durante un día o dos en un lugar cálido y seco, lejos de la luz directa y agitarlas de vez en cuando.*

### SEPARAR LAS SEMILLAS DE LOS RESIDUOS
*Se utilizan tamices de diversos tamaños para separar las semillas de los restos no deseados. Colocarlas en el tamiz y agitar suavemente; si el tamiz es del tamaño adecuado, solo las semillas pasarán a través del mismo.*

### ALMACENAMIENTO DE SEMILLAS
*Colocar las semillas limpias en sobres etiquetados en forma clara. Guardarlos en un lugar fresco y seco lejos de la luz directa como, por ejemplo, en un recipiente hermético ubicado en el estante inferior del refrigerador.*

## CONSEJOS ÚTILES

• La mayoría de las cápsulas maduran cuando adquieren la textura del papel y se vuelven marrones; los frutos carnosos, cuando cambian de color. Una vez que las plantas hayan florecido, recolectar las semillas tan pronto maduren.

• Desechar si muestran signos de moho u otra peste.

• Etiquetar con el nombre y la fecha de recolección.

• Las semillas de una gran cantidad de plantas anuales y bienales pueden almacenarse a una temperatura de entre 1° C y 5° C durante varios años.

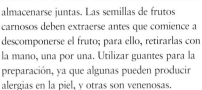

CÁPSULA DE SEMILLAS
DE MARAVILLA

# CÓMO EVITAR PROBLEMAS

L AS PLANTAS ANUALES Y BIENALES SE ENCUENTRAN, en general, totalmente libres de plagas y enfermedades del jardín, a pesar de que las plantas jóvenes pueden ser particularmente vulnerables a las babosas y los caracoles. Una buena higiene del jardín, junto con plantas vigorosas cultivadas en buenos suelos y regadas en forma adecuada, permiten mantener las plantas libres de plagas o enfermedades. No utilizar productos químicos perjudiciales que ponen fin no solo a enemigos sino también a amigos del jardín.

## PREVENCIÓN Y CURA DE ENFERMEDADES

Al promover el ingreso de fauna silvestre al jardín se contribuye a prevenir plagas o, al menos, a mantenerlas en un nivel en el que no causen daños. Algunas plantas anuales atraen insectos que benefician y ayudan a proteger plantas más vulnerables, como los rosales. Las aves ponen fin a una gran cantidad de insectos que constituyen plagas, y es sencillo proteger los almácigos o las plantas jóvenes de sus ataques con redes o hilo de algodón negro.

Las plagas principales son los pulgones, las babosas y los caracoles, y para combatirlos se venden varios controladores ecológicos.

Otros problemas pueden surgir en cultivos de invernadero, en especial, con el crecimiento de las delicadas plantas anuales semirresistentes. En estos casos, una higiene escrupulosa resulta esencial. Utilizar siempre macetas y bandejas limpias y compost nuevo esterilizado. El ácaro rojo (ver abajo) y los gorgojos de parra pueden controlarse en forma biológica liberando insectos beneficiosos en el invernadero.

Examinar las plantas periódicamente, tanto las del jardín como las cultivadas en invernadero, para identificar los problemas en forma precoz, cuando el control es más sencillo. Es posible eliminar algunas plagas en forma manual. Una vez establecidas, resulta más complejo controlar plagas y enfermedades, que pueden haber ocasionado daños graves a las plantas.

DAÑO PROVOCADO POR EL ÁCARO ROJO
*Son muy pequeños. El primer signo es la aparición de manchas marrones, y luego amarillas, sobre las hojas. La humedad contribuye a evitar la proliferación.*

INSECTOS BENEFICIOSOS
*Las larvas de mosca flor (arriba), las mariquitas (derecha) y las libélulas son en particular efectivas para erradicar pulgones; una de las plagas más problemáticas del jardín. En lugar de utilizar pesticidas químicos, es conveniente promover el desarrollo de insectos beneficiosos para el jardín a través de plantas anuales y bienales ricas en néctar.*

ENFERMEDAD DE
LOS ALMÁCIGOS
*Esta enfermedad fúngica hace que los plantines mueran con rapidez. Sembrar en forma espaciada en compost esterilizado de libre drenaje en macetas limpias y evitar el riego excesivo.*

# CALENDARIO ESTACIONAL

## INVIERNO

• Ordenar los macizos anuales, eliminar las plantas muertas o secas, utilizarlas para preparar compost o quemarlas.

• Cuidar de no agregar cápsulas de semillas al compost ya que pueden germinar en lugares no deseados al año siguiente.

• Pasar el rastrillo o remover la tierra de los macizos anuales (o parcelas, en borduras combinadas) para dejarlos libres durante el invierno, de manera que las heladas quiebren el suelo y produzcan una superficie fina para la primavera.

• No pisar los suelos gruesos, como los arcillosos, en especial, mojados.

• Agregar harina de hueso o cualquier otro fertilizante de efecto lento para enriquecer el suelo.

• Comenzar la planificación y selección de las plantas anuales para el año siguiente; visitar viveros y examinar catálogos antes de encargar las semillas o plantas para la primavera.

• Confeccionar diseños de plantación y siembra en papel borrador. Tener en cuenta colores, alturas y formas para la siguiente temporada.

## PRIMAVERA

• Comenzar a sembrar las plantas anuales semirresistentes y delicadas en invernadero a temperaturas cálidas.

• Sembrar las semillas de variedades bienales al aire libre, y las anuales más resistentes, para rellenar los espacios vacíos en borduras combinadas.

• Quitar las malas hierbas que hubieran crecido en el exterior, y rastrillar el terreno para nivelar el suelo.

• Comenzar a sembrar las semillas de las plantas anuales y bienales resistentes en el exterior.

• Cultivar las anuales resistentes y las delicadas en campanas de vidrio, para protegerlas.

• Si fuera necesario, reducir la densidad de las plantas anuales resistentes.

• Examinar en forma periódica para detectar plagas y enfermedades; proteger las plantas nuevas de babosas y caracoles, y quitar aquellas plantas enfermas.

• Comenzar a instalar soportes para las plantas anuales de alto porte o trepadoras, como ramas, cañas y alambre tejido.

• Comenzar a plantar las macetas para el verano; colocarlas en lugares libres de heladas.

### USO DE CAMPANAS

*Las anuales y bienales sembradas en forma directa en el jardín pueden protegerse del frío y las heladas de primavera mediante campanas, hasta tanto mejoren las condiciones.*

## VERANO

Fortalecer las plantas resistentes y delicadas una vez finalizada la época de heladas.

• Terminar de instalar los soportes para anuales, sin dañar los retoños.

• Plantar las plantas anuales semirresistentes y delicadas al aire libre, en el jardín y en macetas.

• Abonar las macetas una vez asentadas las plantas, siempre y cuando el compost no contenga fertilizantes de efecto prolongado.

•Regar las macetas a diario y las plantas jóvenes en épocas secas.

• Quitar las malas hierbas en forma periódica y examinar las plantas para detectar signos de plagas o enfermedades; controlar los problemas que pudieran surgir.

• Eliminar las cabezuelas marchitas en forma periódica para prolongar la floración. Si se necesitaran semillas, suspender este proceso, dejando un buen número de tallos con floración hasta fines de la temporada.

• Comenzar la recolección de semillas tan pronto maduren los frutos y las cápsulas; limpiar, seleccionar y etiquetar de inmediato las semillas recolectadas para evitar futuras confusiones con otras especies.

• Comenzar la siembra de semillas anuales semirresistentes y delicadas en almácigos para cultivar bajo protecciones durante el invierno.

## OTOÑO

• Continuar la siembra protegida de anuales para obtener su desarrollo completo a fines del invierno y principios de la primavera.

• Transplantar las bienales de un año de los almácigos a sus posiciones de floración definitivas al aire libre. Plantar en grupos para obtener efectos óptimos.

### CABEZUELA DE UNA SIEMPREVIVA

• Continuar la recolección de semillas a medida que maduran los frutos y las cápsulas.

• Comenzar a quitar las plantas anuales de las macetas, una vez concluida su floración.

• Preservar las plantas perennes de corta vida utilizadas para macizos; durante el invierno, pueden conservarse plantas, como los geranios y las balsaminas, en macetas o en invernadero o en interiores, alejadas de las heladas. Otra opción consiste en tomar esquejes de los extremos de tallos.

• Limpiar, secar y empaquetar las semillas para su almacenamiento durante el invierno, preferentemente en el refrigerador, sin olvidar etiquetarlas.

• Solicitar algunos catálogos de semillas para prepararse..

# SELECCIÓN DE ANUALES Y BIENALES

E XISTE UNA GRAN VARIEDAD DE PLANTAS anuales, tanto a partir de semillas como de plantas jóvenes. La mayoría no requieren de un cuidado intensivo. Muchas de ellas son muy resistentes y no necesitan que se las proteja de las heladas. Estas plantas florecen en verano, salvo que se indique lo contrario.

⬛ *Pleno sol* ▣ *Sombra parcial* ☼ *No transplantarla* ⬛ *Suelos con buen drenaje* ⬛ *Suelos húmedos* ⬛ *Muy resistente (soporta hasta -20° C)* ⬛ *Resistente a las heladas (soporta hasta -5° C)* ◐ *Semirresistente (soporta hasta 0° C)* **Baja** *de un porte de hasta 30 cm* **Mediana** *de un porte de entre 30 cm y 90 cm* **Alta** *más de 90 cm de alto* ♀ *RHS Premio Mérito al Jardín*

# A

### *Ageratum houstonianum* (agerato)

Anual de pequeña a enana. Matas de hojas ovaladas y flores rosadas, azules o blancas con forma de pompón. Florece del verano al otoño. Atrae mariposas. La "Blue Danube" I) es una variedad enana de flores celestes; la variedad "Bengali" presenta flores rosa pálido que se oscurecen con el tiempo; la "White cushion" también es aconsejable. Sembrar en el exterior a fines de la primavera.
⬛ ⬛ ⬛
"Adriatic" *p.36*

### *Agrostemma githago* (neguillón)

Anual elegante y mediana de hojas pares, delgadas, en punta, de color verde grisáceo y flores rosadas en forma de trompeta. Florece durante el verano.
⬛ ☼ ⬛ ⬛
'Milas" *p.30*

*AGROSTEMMA GITHAGO* "MILAS"

### *Alcea rosea* (malva)

Anual alta o perenne de corta vida, que se cultiva con frecuencia como anual. Hojas grandes, ásperas, con forma de mano y largas espigas de flores dobles o simples, en forma de embudo, en muchos colores. La "Chater's double" es una variedad que crece hasta 2,5 m y produce flores dobles rojas, rosas, amarillas o blancas. La "Majorette" es una variedad de 60 cm de alto y la "Summer Carnival", de 2 m; ambas dan flores de diversos colores. Sembrar en invernadero hacia fines del verano o principios de la primavera.
⬛ ⬛ ⬛

### *Amaranthus*

Anual con follaje no dentado y ramilletes espesos de pequeñas flores plumosas o con forma de espiguillas que aparecen durante el verano. *A. hypochondriacus* presenta flores erguidas de color rojo oscuro, aplanadas, y hojas con matices violetas; es muy resistente al igual que el *A. caudatus* (amaranto rojo). La variedad *A. tricolor* es anual frondosa y resistente a las heladas con hojas rojas, carmesí o violeta. Sembrar en el exterior en primavera.
⬛ ☼ ⬛ La resistencia varía.
*A. caudatus p.37*

MARGARITAS *La rudbeckia "Radiant Gold" queda suavizada por las gramíneas en la bordura.*

## *Anchusa capensis* (onoquiles)

Bienal frondosa, de pequeña a mediana, que se cultiva como anual, con hojas erizadas, lanceoladas y ramilletes de flores azules similares a las nomeolvides. Atrae mariposas y abejas. La variedad mediana "Blue bird" da flores celestes. Sembrar en invernadero en verano o principios de la primavera.

⬛🔲🔳
"Blue Angel" *p.30*

## *Anethum graveolens* (eneldo)

Hierba anual aromática y mediana (pág. 22), de follaje parejo de color verde azulado y de inflorescencias planas, formada por flores pequeñas de color amarillo verdoso que pueden cortarse.

⬛🔲🔳

## *Antirrhinum majus* (conejitos)

Perenne de pequeña a mediana que se cultiva en general como anual. Es frondosa. De hojas lanceoladas y espigas de flores dobles, de agradable perfume, en muchos colores, así como también bicolores. Existen diversas variedades, desde las enanas hasta las de alto porte, algunas de flores abiertas con forma de campana. Las serie "Sonnet" I)

*ANTIRRHINUM MAJUS*
SERIE SONNET ♀

*ARCTOTIS FASTUOSA* "ZULU PRINCE"

son medianas y de libre floración. Sembrar en invernadero a principios de la primavera o fines del verano, o al aire libre en primavera.

⬛🔲🔳

## *Arctotis fastuosa*

Planta anual mediana de hojas lobuladas, elípticas y plateadas de margaritas anaranjadas y grandes con manchas oscuras en la base de los pétalos y centros violeta oscuro. Florece desde mediados del verano hasta el otoño. La variedad "Zulu prince" presenta flores blancas y hojas plateadas. Los híbridos Harlequin (x *Venidioarctotis*) cuentan con hojas afelpadas y flores amarillas, anaranjadas, rosadas, blancas o rojas que pueden cortarse.

⬛🔲 min. 5° C

## *Argemone* (amapola espinosa)

Planta espinosa anual, robusta y mediana, de hojas similares al cardo. Grandes flores de cuatro pétalos durante el verano, que luego se transforman en cápsulas espinosas. La variedad *A. mexicana* da flores amarillas o anaranjadas de 8 cm de alto; la *A. grandiflora* produce flores más grandes y blancas. Sembrar al aire libre en primavera.

⬛☀️🔲🔳

## *Atriplex hortensis* (armuelle)

Planta anual erguida de hasta 1,2 m de alto, con follaje de color verde intenso, bronce o marrón violáceo, o violeta rojizo, en el caso de la variedad *rubra* (pag. 6). Presenta grandes ramilletes de flores pequeñas de color marrón rojizo o verdoso.

⬛🔲🔳

# B

## *Bassia scoparia* f. *trichophylla* ◊, syn. *Kochia scoparia*

Anual mediana y frondosa, de crecimiento rápido, follaje similar al del ciprés, que se torna rojo intenso durante el otoño. Sembrar en invernadero en primavera.

⬛🔲🔳

## *Begonia semperflorens*

Perenne pequeña, frondosa y carnosa que se cultiva para macizos anuales. Sus hojas circulares, levemente quebradizas, son de color verde oscuro, bronce, rojizo o jaspeadas. Presenta pequeños grupos de flores simples o dobles, de color blanco, rosa, rojo o damasco. Sembrar en invernadero a principios de la primavera, o tomar esquejes de tallo en verano y principios del otoño.

⬛🔳 min. 13° C.

## *Bellis perennis* (margarita)

Perenne pequeña y con rosetas. Se cultiva como bienal y da margaritas simples, semidobles o dobles, sobre las hojas con tallos finos. Las flores de las variedades "Carpe" y "Goliath" tienen 8 cm de ancho y las de la variedad "Pomponette", 2,5 cm. Ambas poseen flores rosadas, rojas, blancas o bicolores. Sembrar en invernadero en primavera, o dividir luego de la floración.

⬛🔲🔘

BORAGO OFFICINALIS

### Bidens ferulifolia

Planta perenne mediana y expansiva, que se cultiva como anual. Follaje fino y margaritas amarillo brillante. Es aconsejable para macetas. Sembrar en invernadero a principios de la primavera o tomar esquejes en verano y principios del otoño.

### Borago officinalis (borraja)

Planta anual, de mediana a alta que, en algunas oportunidades, sobrevive al invierno. De hojas grandes y ovaladas y grupos de flores con forma de estrella, azules o blancas. Ideal para atraer abejas. Sembrar en primavera. Con frecuencia se autogermina.

### Brachyscome iberidifolia (margarita "Swan River")

Planta anual pequeña, expansiva y rastrera (pág. 42), o perenne de corta vida, con hojas divididas de color verde y margaritas pequeñas azules, violetas o blancas. Sembrar a principios de la primavera

### Bracteantha bracteata syn. Helichrysum bracteata (siempreviva dorada)

Planta anual de pequeña a mediana, erguida y con ramificaciones (pág. 17, pág. 31), de hojas lanceoladas y margaritas grandes con textura similar al papel. Presenta una amplia gama de rojos, amarillos, anaranjados, rosados y blancos, con centros amarillos. Ideales para desecar y atraer abejas. También existen variedades enanas y de alto porte. Sembrar en primavera.

### Brassica oleracea (coles ornamentales)

Repollos y coles cultivados por sus hojas coloridas; ideales para macizos de otoño e invierno. La variedad serie "Osaka" produce plantas abiertas similares a los repollos de hasta 45 cm, con hojas exteriores onduladas y verdes, y centros rosados o rojos. La "Tokyo" es similar, pero crece hasta los 25 cm.

### Browallia speciosa

Planta perenne mediana y frondosa, que se cultiva como anual, de hojas ovaladas y flores vistosas de color violeta azulado y centros blancos; o blancas, como en el caso de la variedad compacta "White troll". Sembrar en invernadero a principios de la primavera.

min. 10° C

# C

### Calendula officinalis (caléndula)

Planta anual frondosa y perenne de corta vida, hojas ásperas, aromáticas y elípticas de color verde pálido y flores similares a las margaritas, simples o dobles, amarillas, anaranjadas o de color crema que sirven para cortar. Existe en diversos

CALLISTEPHUS CHINENSIS "GIANT PRINCESS"

tamaños. Sembrar en primavera; con frecuencia se autogermina.

### Callistephus chinensis (aster de China)

Planta anual mediana o pequeña, frondosa, de hojas dentadas y ovaladas. Desde enanas hasta de alto porte. Dan margaritas pompón o rizadas, simples, semidobles o dobles, en todos los colores con excepción del amarillo. Sembrar en invernadero a principios de primavera.

### Campanula medium (campanillas de Canterbury)

Planta bienal mediana, que forma rosetas de hojas tupidas y siempre verdes durante el primer año. Presenta grandes pirámides de flores simples o dobles, con forma de campana, en la gama del azul, violeta, rosa o blanco, desde fines de la primavera hasta principios del verano. En el caso de la variedad "Cup and saucer", el cáliz, por lo general, verde, se abre como un plato y adquiere el color de los pétalos. Sembrar en invernadero, o al aire libre en el verano.

*C. isophylla* "Stella Blue" *p.4*

## Capsicum annuum (pimiento)

Planta pequeña y frondosa, de hojas lanceoladas a elípticas, de color verde mediano y frutos brillantes y elegantes. Los pimientos más ornamentales son los del grupo cerasiforme (pimiento), que posee frutos pequeños y redondos, de color violeta, amarillo o rojo, junto con los de grupo conoides (pimiento cónico), de frutos erguidos y con forma cónica de color blanco, verde o escarlata.

▣ ⬇ min. 5° C

## Celosia argentea

Planta mediana y frondosa que se cultiva como anual, de hojas ovaladas de color verde mediano y grupos piramidales, con pequeñas flores plumosas amarillas, anaranjadas, rosadas o rojas. En la variedad *crisata*, las flores forman una cabeza aplanada. Sembrar en invernadero a principios de la primavera.

▣ ⊞ ⬇

## Centaurea cyanus (aciano)

Planta anual, entre pequeña y mediana, erguida (pág. 33), de hojas angostas y lanceoladas, de color verde grisáceo. Desde el verano hasta el otoño, da flores azules, violetas, rosadas o blancas similares a las margaritas. Esta especie es aconsejable para la naturalización; existen de diversas alturas. Sembrar en otoño o a principios de la primavera.

▣ ☼ ⊞ ▨

## Chrysanthemum carinatum (crisantemo anual)

Planta anual mediana y frondosa, de crecimiento rápido, de follaje plumoso y robusto, color verde pálido y grandes margaritas de varios colores, en general, con anillos de colores contrastantes e intensos en el centro. Su flor es ideal

CLEOME HASSLERIANA
"ROSE QUEEN"

para cortar. Se encuentran disponibles variedades tanto pequeñas como medianas, así como también de flores simples o dobles. Sembrar en primavera.

▣ ☼ ⊞ ⬇

## Clarkia amoena syn. Godetia amoena

Planta anual mediana y erguida, de hojas lanceoladas y espigas de flores simples o dobles de pétalos, con frecuencia rizados, en la gama del rosa, malva y escarlata. La variedad *C. pulchella* es más alta y presenta flores más pequeñas con matices similares. Sembrar en primavera.

▣ ☼ ⊞ ▨

## Cleome hassleriana syn. C. spinosa

Planta anual robusta y de alto porte con tallos pilosos y hojas color verde mediano, con forma de mano. Presenta grandes grupos de flores muy perfumadas de pétalos angostos color rosa, malva, violeta o blanco y estambres prominentes. Vistosas variedades de cultivo. Sembrar en invernadero a principios de la primavera.

▣ ⊞ ◈

"Helen Campbell" ◊ *p.15*.
Recomendada: "Rose Queen"

## Consolida ajacis (espuela de caballero)

Planta anual elegante y de alto porte, de follaje plumoso y grandes espigas de flores simples o dobles espolonadas, de color azul, rosa, malva o blanco. Su flor es ideal para cortar y desecar. Se consiguen variedades de todas las alturas. Sembrar en primavera o en otoño en zonas templadas.

▣ ⬇ ▨

## Convolvulus tricolor

Planta anual erguida y expansiva, de flores con forma de embudo, de color azul, rosa, malva o blanco, con centros amarillos y blancos, que se abren al sol. Sembrar semillas en primavera.

▣ ⊞ ▨

"Royal Ensign" *p.31*. Otra recomendada: "Blue flash"

## Coreopsis

Planta mediana y frondosa, de hojas lanceoladas color verde y margaritas amarillo brillante; desde verano hasta principios de otoño. La variedad *C. tinctoria* es anual; la *C. grandiflora* es perenne y se cultiva, con frecuencia, como anual; presenta flores amarillas. Ideal para cortar.

▣ ⊞ ▨

COREOPSIS TINCTORIA

## PLANTAS TREPADORAS RECOMENDADAS

### Cardiospermum halicacabum

Trepadora caducifolia, hasta 3 m, con zarcillos. Con frecuencia se cultiva como anual. Tallos delicados con hojas bilobuladas y vistosas y gran cantidad de flores, que durante el verano y el otoño se transforman en cápsulas de semillas con forma de farolillos, de colores estridentes. Sembrar en invernadero en primavera.
☐ ☐ min. 5° C

### Cobaea scandens ♀ (campanilla trepadora)

Planta trepadora con zarcillos, de hojas verde intenso y flores espaciadas con forma de campana, de color verde cuando se abren y violeta, al madurar, o blanco, en el caso de la *f. alba*. Sembrar en invernadero en primavera.
☐ ☐ min. 5° C

### Eccremocarpus scaber ♀

Planta siempre verde con zarcillos, de hasta 4 m de alto, que se cultiva como anual, pero que con frecuencia, sobrevive al invierno. Presenta hojas disecadas de color verde grisáceo y varas largas con flores tubulares rojas, anaranjadas o rosadas, que se transforman en cápsulas de semillas colgantes y abultadas con forma de limón.
☐ ☐ ☐

### Ipomoea (campanilla)

Trepadoras que forman matas, de hojas acorazonadas y flores con forma de embudos, que se abren al sol. La variedad *I. alba* (temperatura mínima 10° C), es siempre verde y alcanza los 7 m de alto y posee grandes flores (de 15 cm) blancas y perfumadas. El dondiego de día, *I. purpurea*

*LABLAB PURPUREUS*

(temperatura mínima 5°C), de hasta 4 m de alto, de flores blancas, azules, violetas o rojizas. La variedad *I. tricolor* necesita una temperatura mínima de 5° C.
☐ ☐ temperatura mínima varía

### Lablab purpureus (Lablab)

Planta perenne trepadora y vigorosa que se cultiva como anual y alcanza los 5 m de alto. Presenta hojas trifoliadas y flores violetas o rosas que se transforman en cápsulas de vistosas semillas de color violeta rojizo brillante. Sembrar las semillas en invernadero en primavera.
☐ ☐ min. 5° C

### Lathyrus odoratus (arvejilla) ♀

Planta anual (pág. 24) con tallos elevados de hasta 3 m. Presenta largas varas con flores grandes y delicadamente perfumadas, en diversos colores, con excepción del amarillo. Se encuentran disponibles una gran cantidad de variedades, en su mayoría trepadoras. Su flor es ideal para cortar. Sembrar en invernadero en otoño o principios de la primavera.
☐ ☐ ☐

### Rhodochiton atrosanguineus ♀

Perenne, en grupos. Se cultiva como anual (pág. 25); alcanza hasta los 3 m de altura. Hojas acorazonadas y flores colgantes y tubulares de color rojo violáceo, que durante el verano y el otoño, presentan cálices color rosa.
☐ ☐ min. 3–5° C

### Thunbergia alata

Planta anual que forma grupos (pág. 40) de hasta 3 m de alto, con hojas en forma de flecha y flores vistosas con forma de trompeta color anaranjado, crema, amarillo o damasco, con centros negros. Sembrar las semillas en invernadero en primavera.
☐ ☐ ☐

### Tropaeolum

La variedad *T. majus* (capuchina) de hasta 3 m de altura, presenta flores espolonadas, con forma de trompeta, en la gama del rojo, anaranjado, amarillo y rosa. La variedad *T. peregrinum*, de 2,5 m posee flores amarillas. Sembrar en invernadero a principios de la primavera, o en el exterior a fines.
☐ ☐ min. 3° C
### T. peregrinum p.25

*LATHYRUS ODORATUS* "MARS"

### Cosmos bipinnatus

Anual ramificada de 1,5 m de alto, con follaje plumoso y flores grandes, similares a las margaritas, de color rosa, malva, rojo y blanco. Su flor es ideal para cortar. Las selecciones más recientes con frecuencia solo alcanzan los 60 cm de alto. La variedad *C. sulphureus* posee flores doradas. Sembrar en primavera.

▧ ▧ ▧

# D

### Dalia

Las dalias más pequeñas y perennes para macizos o borduras, que se cultivan como anuales y son frondosas, presentan entre 20 y 50 cm de alto. Sus hojas son carnosas y de color verde intenso, y sus flores son dobles y de diversos colores, salvo el azul. Las flores resultan ideales para cortar. Se consiguen diversas variedades. Sembrar en invernadero en primavera; tomar esquejes o dividirlas en primavera.

▧ ▧ min. 5° C

Se recomiendan: "Fascination" y " Sunny yellow"

### Dianthus (clavel)

Planta frondosa de pequeña a mediana, de hojas lanceoladas y

*DAHLIA HÍBRIDA* "Coltness"

*DIANTHUS* "CHERRY PICOTEE"

flores perfumadas, con frecuencia, con forma de pompones color rojo, rosa y blanco, y, a veces amarillo, como en el caso de la variedad "Bookham fancy". Su flor es ideal para cortar. La variedad *D. barbatus* (minutisa) presenta flores tupidas y aplanadas. La variedad *D. chinesis* posee flores simples o dobles, con forma de borlas. Sembrar en primavera o a principios del verano.

▧ ▧ ▧

*D.* "Telstar" *p.17*

### Digitalis (digital)

Planta bienal o perenne de corta vida pubescente, que forma rosetas de hojas siempre verdes y tupidas durante el primer año. Sus flores son tubulares, violetas, rosadas, amarillas o blancas, e integran espigas tupidas y simples de hasta 1,2 m de alto. Es ideal para atraer abejas y para crear efectos naturales. Sembrar en primavera o verano; con frecuencia autogermina.

▧ ▧ ▧

*D. purpurea p.32, p.53*

### Dimorphotheca pluvialis

Planta anual frondosa (pág. 30), de hojas elípticas de color verde oscuro y grandes margaritas blancas con centros marrones violáceos, que se abren al sol. Sembrar en primavera.

▧ ▧ ◆

### Dorotheanthus bellidiformis (Mesembryanthemum)

Planta anual baja y que forma alfombras de hojas "cristalinas" grises y margaritas de colores vivos, tales como amarillo, rojo, rosa, o blanco, y en general, de centros oscuros, que se abren al sol. Sembrar las semillas en invernadero a principios de la primavera.

▧ ▧ ◆

# E

### Echium vulgare

Planta anual o bienal, pequeña a mediana, frondosa y rizada, de hojas lanceoladas y grupos espiralados de flores tubulares en la gama del violeta, rosa, azul o blanco. Se encuentran disponibles variedades enanas. Sembrar en primavera.

▧ ▧ ▧

### Eryngium giganteum ♀

Planta bienal de alto porte, de hojas muy espinosas y similares al cardo, flores azules y brácteas prominentes plateadas, similares al acebo. Es ideal para secar. Sembrar en primavera; con frecuencia autogermina. (Durante el primer año, las rosetas no son espinosas.)

▧ ▧ ▧

### Erysimum cheiri syn. *Cheiranthus cheiri* (alhelí amarillo)

Planta bienal o perenne de corta vida, mediana y frondosa, de hojas elípticas de color verde intenso y grupos de flores de dulce perfume, de color rojo, amarillo, anaranjado, bronce y crema en primavera. Es aconsejable para macizos a partir de bulbos. Se encuentra una gran cantidad de variedades disponibles, incluso las enanas. Sembrar las semillas a principios del verano.

▧ ▧ ▧

"Fire King" *p.14*

*EUPHORBIA MARGINATA*

### Eschscholzia californica ♀
(amapola de California)

Planta anual robusta, de pequeña a mediana (pág. 31), que, en algunas oportunidades sobrevive al invierno. Presenta un follaje grisáceo o verde azulado, similar al helecho. Las flores satinadas de cuatro pétalos se presentan en la gama del amarillo, anaranjado, rosa, rojo y damasco, y a veces son bicolores. Se abren al sol. Las diversas variedades incluyen tipos con flores rizadas y semidobles. Sembrar en primavera o en otoño, en zonas templadas.

▨ ⛭ ✉

*E. lobbii p.32*, "Yellow Cap" *p.14*

### Euphorbia marginata
(euforbia)

Planta anual erguida, mediana y frondosa, de hojas elípticas color verde brillante. Innumerables brácteas atractivas rodean las flores verdosas e insignificantes. Sembrar las semillas en primavera.

▨ ⛭ ▨

### Exacum affine

Planta anual pequeña y frondosa (pág. 42), de hojas ovaladas carnosas, de color verde brillante. Presenta una gran cantidad de flores pequeñas color azul, violeta hacia fines del verano o la primavera. Es aconsejable para macetas. Sembrar a fines del verano o en primavera.

▨ ✉ min. 5° C

# F

### Felicia amelloides
(margarita azul)

Arbusto pequeño y frondoso, anual, hojas ovaladas y margaritas azules con centros amarillos. Sembrar las semillas en invernadero a principios de primavera, o tomar esquejes de tallo en verano.

▨ ✉ ◈

## GRAMÍNEAS RECOMENDADAS

### Briza maxima
(tembladera)

Planta anual erguida, delicada y mediada (pág. 23 y pág. 56), de hojas color verde mediano en especial en la base, y espigas inclinadas de flores verde violáceo. Es ideal para secar. Sembrar en primavera; de autogerminación.

▨ ⛭ ▨

### Hordeum jubatum (cola de ardilla)

Anual o perenne de corta vida, mediana, con penachos (pág. 23). Las hojas plumosas y arqueadas presentan matices rosados, y luego el color de la paja. Sembrar en primavera.

▨ ⛭ ▨

### Lagurus ovatus ♀
(lágrimas de la virgen)

Planta anual, de pequeña a mediana, con penachos, de hojas color verde pálido y flores en punta, suaves y blancas con estambres amarillos. Es aconsejable para secar. Sembrar las semillas en primavera.

▨ ⛭ ▨

### Pennisetum setaceum
(plumerillo) ♀

Gramínea perenne alta y con penachos, que puede cultivarse como anual, de hojas ásperas color

*LAGURUS OVATUS*

verde mediano y espigas cilíndricas color rojo cobrizo que viven hasta avanzado el invierno. Sembrar las semillas en primavera.

▨ ⛭ ✉

### Setaria italica (panizo)

Gramínea anual alta y con penachos, de hojas angostas lanceoladas y cabezas florales laxas de color blanco, crema, amarillo, rojo, marrón o negro. Es aconsejable para secar. Sembrar a fines de la primavera.

▨ ☼ ⛭ ◈

### Zea mays ♀ (maíz dulce)

Anual mediana a alta; las flores hembra espigadas se convierten en mazorcas. Algunas variedades presentan diferentes colores. Es aconsejable para secar. Sembrar en invernadero a principios de la primavera.

▨ ✉ ◈

# G

## Gaillardia pulchella

Planta anual mediana, erguida y frondosa, de hojas lanceoladas color verde grisáceo y margaritas simples o dobles color amarillo, rojo, rosa o carmesí, con frecuencia bicolores, que resultan ideales para cortar. Sembrar las semillas en primavera.

## Gazania

Planta perenne de crecimiento bajo que, con frecuencia se cultiva como anual; de hojas lanceoladas, de textura similar al cuero, color verde intenso y grandes margaritas, en general amarillas, anaranjadas, o rojas con marcas centrales más oscuras, a veces, de color crema, blanco o rosa. Sembrar las semillas a principios de la primavera.

Serie Daybreak ♀ p.41.
Otras: serie "Talent", serie "Chansonette".

## Gilia

Planta anual con follaje plumoso y flores en forma de botón desde el verano hasta principios del otoño. La variedad G. capitata posee flores de color azul lavanda. La variedad G. tricolor presenta flores violetas con centros amarillos o anaranjados y pintas violetas. Sembrar en primavera.

## Glaucium corniculatum

Bienal o perenne de corta vida, de hojas lobuladas y oblongas de color gris plateado y flores anaranjadas en forma de cuenco, que se transforman en cápsulas de semillas largas y curvadas. Una similar, pero con hojas azuladas y flores en la gama del anaranjado oscuro y carmesí, es la G. grandiflorum.

## Gomphrena globosa
(amaranto redondo)

Planta anual pequeña y frondosa, de hojas ovaladas y pilosas y flores de color rosa, violeta, anaranjado, amarillo o blanco, similares al clavo que resultan ideales para cortar. Sembrar en invernadero o al aire libre en primavera.

## Gypsophila elegans
(gypsophila anual)

Planta anual mediana, erguida y con ramificaciones (pág. 5), de hojas lanceoladas de color verde grisáceo, y espigas expansivas de numerosas flores blancas y pequeñas, ideales para cortar. Sembrar en primavera.

# H

## Helianthus annuus (girasol)

Anual áspera y pilosa de hasta 3 m de alto, con un tallo erguido, hojas alargadas, y flores de entre 20 y 40 cm con discos marrones o violetas (pág. 56). Algunas presentan flores dobles; otras, flores más pequeñas y tallos ramificados. Las variedades enanas poseen entre 30 y 50 cm de alto. Los colores de las flores varían desde crema, anaranjado y amarillo hasta marrón y rojo. Sus flores son ideales para cortar y desecar. Sembrar en primavera.

H. "Pastiche" p.22

*HELIANTHUS "GIANT SINGLE"*

*HELIOTROPIUM ARBORESCENS*

## Helichrysum petiolare ◊

Arbusto mediano siempre verde, de expansivo a rastrero, que se cultiva como anual. Hojas pequeñas de color gris plateado, acorazonadas o redondeadas; flores color amarillo crema, que crecen de manera espaciada. Sembrar en primavera o esquejes semimaduros en verano.

"Variegatum" ♀ p.19

## Heliophila coronopifolia

Planta anual levemente delicada, de crecimiento bajo a mediano, de hojas simples o lobuladas y una gran cantidad de pequeñas flores azules de cuatro pétalos con centros amarillos. Sembrar en primavera.

## Heliotropium arborescens
(heliotropo)

Arbusto siempre verde y frondoso que se cultiva como anual, de hojas arrugadas y angostas de color verde brillante y ramilletes tupidos de flores de dulce perfume que varían desde el lavanda hasta el violeta. Las variedades se presentan en azul, violeta y rosa. Sembrar las semillas en primavera, o tomar esquejes en verano y principios del otoño.

## Hibiscus

Planta anual o perenne de corta vida con hojas lobuladas y flores en forma de embudo que se abren con el sol. La variedad *H. acetosella* es de alto porte, con flores amarillas o rojo violáceo, con centros de color violeta intenso. La variedad *H. trionum* es mediana y presenta hojas de bordes aserrados y flores crema o amarillas con centros marrones violáceos. Sembrar en invernadero a principios de la primavera.

## Hunnemannia fumariifolia

Planta perenne de corta vida que se cultiva como anual, de grandes flores color amarillo brillante. Se asemeja a la *Eschscholzia* (ver pág. 67), pero presenta hojas más gruesas. Su flor es ideal para cortar. Sembrar en primavera.

## I

## Iberis umbellata (carraspique)

Planta anual que forma matas de hojas en forma de lanza y flores aplanadas color rosa, violeta, o blanco que crecen en forma irregular, desde el verano hasta principios del otoño. Sembrar en primavera, o en otoño en las zonas templadas.

## Impatiens (balsamina)

Anual robusta, pequeña a mediana, o perenne cultivada como anual, de hojas lanceoladas o elípticas y de bordes aserrados. La balsamina (*I. valleriana*) es expansiva, y presenta flores chatas y espolonadas en damasco, violeta, rosa, rojo, anaranjado y blanco. Para macetas y macizos; soporta la sombra. La variedad *I. balsamina* (balsamina de la India) es erguida, y posee hojas angostas lanceoladas y flores simples

IMPATIENS GRUPO NEW GUINEA

o dobles de color rosa, violeta, rojo, malva o blanco con espuelas cortas y colgantes. El grupo New Guinea incluye plantas frondosas y erguidas de hojas largas, a veces con matices de color bronce, rojo o violeta, y flores espolonadas violeta, rosa, blanco, escarlata, anaranjado o damasco. Las cápsulas de semillas se abren, una vez maduras. Sembrar las semillas a principios de la primavera en invernadero o tomar esquejes en el verano y el otoño. ▢-▧ ▧ ◆ temperatura mínima que varía entre 5°C y 10°C
*Híbridos mezclados p. 5, p. 34*
*Serie "Super elfin", p. 45*
*Serie "Tempo", p. 41, p. 43*

## L

## Lantana camara

Arbusto siempre verde que crece al ras del suelo; a veces se cultiva como anual. Hojas ovaladas levemente arrugadas y flores redondas y pequeñas color anaranjado, amarillo, violeta, rosa, rojo o blanco durante todo el verano. Las flores pueden tornarse más pálidas u oscuras de acuerdo con la cantidad de sombra que reciban.

## Lavatera trimestris

Planta anual vigorosa, de alto porte y frondosa (pag. 33), de hojas lobuladas acorazonadas y grandes flores satinadas con forma de embudo en verano y principios del otoño. La variedad "Silver cup" posee flores rosadas con nervaduras más oscuras; la variedad "Mont Blanc" es de flores blancas. Sembrar las semillas en primavera.
*"Mont Blanc" p.31*

## Layia platyglossa

Planta anual de pequeña a mediana y crecimiento rápido, de hojas lanceoladas color verde grisáceo y una gran cantidad de pequeñas margaritas color amarillo, con anillos blancos. Sembrar las semillas a principios de la primavera.

## Leucanthemum paludosum

Planta anual pequeña y frondosa (pág. 35), de hojas ovaladas y lobuladas o dentadas y margaritas amarillas, espaciadas y pequeñas, con centros más oscuros. La variedad "Show star" posee un follaje verde amarillento. Sembrar las semillas en primavera.

LEUCANTHEMUM PALUDOSUM "SHOW STAR"

### Limnanthes douglasii

Planta anual pequeña y expansiva, de follaje verde brillante y hojas pinadas (pag. 27). Presenta flores amarillo huevo con forma de plato, que en general poseen anillos de color blanco, desde fines de la primavera hasta principios del verano. Sembrar en otoño o primavera; autogermina.

### Limonium sinuatum
(estátice)

Planta perenne erguida y mediana que se cultiva como anual (pág. 20), con rosetas de hojas oblongas en la base, de color verde intenso y de bordes ondulados. Presenta, además, espigas ramificadas de flores de larga duración con textura de papel en la gama del rosa, rojo, violeta, malva, amarillo y blanco. Es ideal para desecar y para atraer mariposas.

### Linaria maroccana

Anual pequeña y frondosa, de hojas lineales a alargadas y lanceoladas, de color verde pálido, y grupos delicados de flores dobles, pequeñas de color rosa, rojo, violeta, amarillo, blanco o bicolores, con espuelas marcadas. Sembrar en primavera.

### Linum grandiflorum
"Rubrum" (lino de flor)

Planta anual erguida, pequeña a mediana, con hojas lanceoladas y flores alegres con forma de plato (pág. 32). Sembrar en primavera.

### Lobelia erinus

Planta annual con penachos o rastrera, que, en algunos casos sobrevive al invierno, de hojas ovaladas a lanceoladas, en colores que van desde el verde hasta el bronce o violeta y una gran cantidad de flores pequeñas y dobles de color azul, rosa, violeta, rojo, malva o blanco. Es ideal para macizos y las variedades rastreras son aconsejables para macetas. Sembrar en invernadero en primavera.

### Lobularia maritima
(mastuerzo marino)

Planta anual pequeña frondosa y con penachos, de hojas angostas lanceoladas color verde grisáceo y grupos tupidos de pequeñas flores con perfume dulce de color rosa, violeta, o blanco, como en el caso de la "Little Dorrit". Es ideal para delimitar bordes. Existe una gran cantidad de variedades disponibles. Sembrar en primavera.

**L.** serie **"Easter Bonnet"** *p.26*

### Lunaria annua (lunaria)

Bienal que crece hasta 75 cm de alto y forma una roseta laxa de hojas acorazonadas durante el primer año; produce grupos de ramas de flores de cuatro pétalos perfumados, de color violeta, durante la primavera y hasta principios del verano, que se transforman en cápsulas de semillas aplanadas de color plateado (págs. 21 y 56).

LOBULARIA MARITIMA
"LITTLE DORRIT"

### Lupinus (altramuz)

Es una planta anual, mediana a alta, de hojas divididas y redondas y pequeñas flores escalonadas en espigas tupidas. La variedad *L. hartwegii* presenta flores color azul pálido, y la *L. luteus*, color amarillo brillante. Sembrar en primavera.

# M

### Malcolmia maritima

Anual pequeña de crecimiento rápido, de hojas de color verde grisáceo y grupos espaciados de flores elegantes y perfumadas de color rosa, rojo o blanco, durante la primavera y el verano. Sembrar en forma sucesiva en primavera y a principios del verano, o en otoño.

### Malope trifida
(malva anual)

Anual alta con hojas lobuladas y grandes flores satinadas con forma de embudo de color violeta rojizo, con nervaduras oscuras. La "Vulcan" presenta flores color magenta rosado. Sembrar en primavera.

MALOPE TRIFIDA
"VULCAN"

*MATTHIOLA INCANA*
SERIE CINDERELLA

*MENTZELIA LINDLEYI*

### Matthiola incana (alhelí)

Planta bienal mediana y frondosa o perenne de corta vida (pág. 26), de hojas elípticas de color gris y flores de cuatro pétalos muy perfumadas. La variedad "Giant excelsior" es de alto porte y presenta flores dobles color rosa, rojo, azul pálido o blanco. Las variedades serie "Cinderella", más bajas, también poseen flores de color azul más oscuro. La serie "Ten Week" es de crecimiento rápido y de flores simples de diversos colores. Sembrar en invernadero en primavera.

### Meconopsis betonicifolia ♀ (falsa amapola)

Planta bienal o perenne de alto porte con hojas erizadas y amapolas grandes y abiertas de color violeta, azul o malva, con anteras amarillas. Requiere un suelo no calizo.

### Mentzelia lindleyi
syn. *Bartonia aurea*

Planta anual mediana y frondosa, de crecimiento rápido, con hojas similares al helecho y flores de color amarillo brillante con pétalos con pintas. Sembrar en primavera.

### Mimulus (mímulus)

Planta anual robusta y expansiva o perenne de corta vida, de hojas elípticas y dentadas de color verde brillante. Las flores con frecuencia presentan pintas o manchas. La variedad *M. guttatus* da flores color amarillo brillante con manchas marrones rojizas. Sembrar en invernadero en primavera.

*M.* serie **Malibu** *p.41*

### Mirabilis jalapa (dondiego de noche )

Planta perenne mediana y frondosa que se cultiva con frecuencia como anual o bienal, de hojas ovaladas de color verde mediano, y flores largas con forma de trompeta de color magenta, rojo, rosa, amarillo o blanco, que en general poseen más de un color en la misma planta, y se abren avanzada la tarde.

### Moluccella laevis

Planta anual mediana y erguida (pág. 14) de hojas redondas de color verde pálido y flores pequeñas y blancas; cada una de las cuales se encuentra sostenida por un cáliz con forma de cuello resistente y de color verde. La flor es ideal para cortar y desecar. Sembrar en invernadero o en el exterior a fines de la primavera.

### Myosotis sylvatica (nomeolvides)

Anual o bienal pequeña, con penachos, hojas elípticas de color verde grisáceo y espirales de flores pequeñas de color azul, en primavera y verano. Una gran cantidad de variedades incluye flores de color violeta, azul, rosa o blanco y tipos compactos para macizos. La variedad "Music" es erguida y presenta flores grandes de color azul brillante. Sembrar en primavera o verano.

# N

### Nemesia strumosa

Planta annual pequeña y frondosa, de hojas lanceoladas y bordes aserrados y flores dobles, con forma de embudo de diversos colores. Las variedades compactas como la serie "Triumph", son ideales para macizos tradicionales.

"Fragrant Cloud" *p.19*,
*N. versicolour* "Blue Bird" *p.14*

*MYOSOTIS SYLVATICA*
"MUSIC"

## Nemophila menziesii

Planta anual pequeña y delicada, de hojas angostas y con bordes aserrados de color verde grisáceo y flores pequeñas con forma de plato de color azul con centros blancos.
🔲 🔳 🔲
*N. maculata p.19*

## Nicotiana (tabaco ornamental)

Planta anual mediana, de hojas elípticas y pegajosas y grupos sueltos de flores aplanadas y alargadas durante el verano y el otoño. La variedad *N. alata* presenta flores blancas y de color marrón violáceo del lado exterior, que se abren por la noche y dan un agradable perfume. Los híbridos de la variedad *N. x sanderaea* son para macizos y macetas, con muchos colores, en especial verde, rojo, rosa, violeta y blanco. Las flores blancas, con frecuencia, tienen perfume. Sembrar en invernadero en primavera.
🔲 🔳 🔲
*N.* "Lime Green" ✿ *p.40*. También: *N. langsdorfii* ◊

## Nierembergia caerulea

syn. *N. hippomanica* ✿
Planta perenne pequeña y frondosa de hojas lanceoladas y flores de cinco lóbulos con forma de cuenco,

color violeta o azul o blanco como en el caso de la variedad "Mont Blanc", durante el verano y hasta principios del otoño. Sembrar en invernadero en primavera.
🔲 🔳 🔲
Otra recomendada: "Purple robe"

## Nigella damascena (arañuela)

Planta anual mediana y erguida, de flores aplanadas con una gran cantidad de pétalos, sostenidas por grupos de hojas plumosas que se transforman en cápsulas de semillas abultadas (pág. 2), excelente para secar. La serie "Persian Jewels" presenta flores rosas, azules y blancas; "Miss Jekyll" posee flores azules brillantes. La variedad *N. hispanica* da flores violetas y cápsulas de semillas oscuras. Sembrar las semillas en otoño o primavera; puede autogerminar.
🔲 ☼ 🔳 🔲
Serie **Persian Jewels** *p.31*

Ó

## Ocimum basilicum (albahaca)

Hierba comestible de mediana a pequeña, altamente aromática, de hojas elípticas y brillantes de color

verde intenso y espigas de flores doble pequeñas, de color rosa o blanco. Una gran cantidad de variedades se encuentra disponible, incluso algunas con hojas de color bronce, rojizo o violeta, o con bordes acanalados. Sembrar las semillas en forma sucesiva a partir de fines de la primavera.
🔲 🔳 🔲

## Oenothera biennis
### (hierba del asno)

Planta bienal de alto porte y tallos firmes, de hojas elípticas de color verde grisáceo y flores amarillas y perfumadas que se abren a la noche. Sembrar en primavera; con frecuencia autogermina.
🔲 🔳 🔲

## Onopordum acanthium

Planta anual de alto porte, espinosa, que produce rosetas de hojas espinosas durante el primer año, y luego crece hasta 1,8 m de alto. El tallo presenta una gran cantidad de hojas y espinas, y se ramifica en la parte inferior para sostener las típicas flores de cardo, relativamente grandes y de color violeta. Es aconsejable para secar. Sembrar las semillas en primavera o verano.
🔲 🔳 🔲

NIEREMBERGIA CAERULEA
"MONT BLANC"

OCIMUM BASILICUM
"DARK OPAL"

OSTEOSPERMUM
"WHIRLIGIG"

*PAPAVER SOMNIFERUM*

*PELARGONIUM* SERIE HORIZON

*PETUNIA* SERIE CARPET

## Osteospermum

Planta perenne de baja a mediana, que con frecuencia se cultiva como anual, de hojas ovaladas a elípticas y vistosas margaritas de color blanco, amarillo, violeta o rosa, que en general tienen centros de colores contrastantes, durante el verano y el otoño. Las especies incluyen la *O. ecklonis* (flores blancas con disco azules oscuros), *O. fruticosum* (flores blancas con discos violetas), y *O. jucundum* (flores desde el malva hasta el magenta con discos violetas). Algunas variedades presentan pétalos rizados. Sembrar las semillas en primavera.
▨ ▣ ▨ (para borduras)

# P

## Papaver (amapola)

Especie que incluye plantas anuales de hojas lobuladas o divididas y flores vistosas de cuatro pétalos. La variedad *P. alpinum* (amapola alpina) es una planta anual o perenne de corta vida de follaje color verde grisáceo y pequeñas flores color rosa, blanco, amarillo, anaranjado o damasco. La variedad *P. rhoeas* (amapola común) presenta hojas color verde brillante y flores rojas con centros negros. La

variedad *P. commutatum* da flores escarlata con una gran mancha en el centro de cada pétalo. La variedad *P. somniferum* (adormidera) es más alta, y mide hasta 90 cm de alto, es de hojas carnosas y aceradas de color verde grisáceo y grandes flores color rosa, malva, rojo, violeta, y casi negro. Da cápsulas de semillas muy decorativas. Existe una gran cantidad de variedades de flores dobles disponibles, con pétalos rizados ("Carnation flowered"), o enteros ("Paeony flowered"). Sembrar en primavera; con frecuencia autogermina.
▨ ▣ ▨
*P. somniferum* ♀ *p.21, p.44,*

## Pelargonium

Planta perenne tradicional que se cultiva como anual para macetas y macizos, de hojas aromáticas y grupos de varas largas colmadas de flores color rojo, rosa, violeta, anaranjado y blanco. Las variedades regionales presentan hojas redondas marcadas con franjas más oscuras y grandes flores simple o dobles. Las variedades de hojas de hiedra son rastreras o trepadoras, y poseen hojas lobuladas y carnosas y flores más largas y delgadas. Los tipos únicos, tales como "Voodoo", son arbustos y poseen hojas espinosas y

flores simples.
▨ ▣ La resistencia varía
***Multibloom Pink*** ♀ *p.36, p.41.* Otras recomendadas: Serie "Diamond"

## Penstemon

Perenne de corta vida, mediana a alta, que se cultiva con frecuencia como anual. En general es frondosa, de hojas lanceoladas y largas espigas unilaterales con flores tubulares a acampanadas color violeta, rojo, rosa, malva o blanco. Sembrar en invernadero en primavera o tomar esquejes leñosos blandos en verano.
▨ ▣ ▨

## Petunia

Perenne de corta vida, frondosa y con frecuencia, pegajosa que se cultiva como anual. Posee hojas ovaladas a elípticas color verde mate y flores simples, rizadas o dobles, con forma de embudo, algunas de las cuales dan perfume y tiene diversos colores. Las variedades más pequeñas y frondosas, como serie "Carpet", son ideales para macizos; las rastreras, como serie "Surfinias" que son resistentes a los cambios de clima, para macetas. En invernadero a principios de la primavera.
▨ ▣ ◈
Serie **Surfinia** ♀ *p.43*

*PHLOX DRUMMONDII*
"PALONA LIGHT SALMON"

## Phacelia campanularia

Planta anual compacta y frondosa de hojas ovaladas color verde intenso y una gran cantidad de flores pequeñas con forma de campana, de color azul profundo. Es ideal para atraer abejas y mariposas. Sembrar en primavera.

## Phlox drummondii
(phlox anual)

Planta anual pequeña y frondosa de hojas lanceoladas color verde pálido. Las flores crecen en grupos tupidos y pueden ser aplanadas y alargadas (como la serie "Palona") o con forma de estrella, ambas en una amplia gama de colores pasteles o brillantes, con frecuencia, bicolores. Para macizos. Sembrar en invernadero en primavera.

"Sternenzauber" *p.10*

## Portulacca grandiflora
(verdolaga o portulaca)

Planta anual carnosa, expansiva, de crecimiento bajo, con tallos rojos y hojas angostas en punta de color verde brillante. Presenta flores simples o dobles relativamente grandes, con forma de cuenco, de color amarillo, anaranjado, rojo, rosa o blanco. Sembrar en invernadero en primavera.

## Psylliostachys suworowii
(estátice)

Planta anual mediana, erguida y de crecimiento lento, de hojas lobuladas, lanceoladas y espigas limpiatubos, erguidas y delicadas de pequeñas flores rosadas, ideales para secar. Sembrar en primavera en invernadero, y a fines de la primavera al aire libre.

# R

## Reseda odorata (reseda)

Planta anual mediana, erguida a expansiva, de color verde pálido, con hojas ovaladas y angostas y espigas gruesas de flores pequeñas color blanco verdoso perfumadas. Sembrar las semillas en primavera.

## Ricinus communis
(ricino)

Arbusto siempre verde imponente, que se cultiva, con frecuencia, como anual para lograr macizos llamativos (pág. 36). Hojas muy grandes, con

*RESEDA ODORATA*

*RUDBECKIA HIRTA*
"RUSTIC DWARFS"

forma de mano, y de color bronce o violáceo. Espigas cortas de flores pequeñas color rojo. Cápsulas espinosas de semillas.

## Rudbeckia hirta

Planta perenne de corta vida, mediana (pág. 30), que se cultiva con frecuencia como anual, de hojas ásperas lanceoladas y de color verde mediano y grandes margaritas amarillas con centros cónicos color violeta. Su flor sirve para cortar. La variedad "Marmalade" presenta flores doradas con conos negros. Sembrar las semillas en primavera.

"Radiant Gold" *p.60*

# S

## Salpiglossis sinuata

Anual mediana, erguida y levemente frondosa, de hojas pegajosas y lanceoladas, de color verde pálido. Flores con forma de trompeta se inclinan hacia adelante de color amarillo, anaranjado, rojo y azul, con nervaduras marcadas. Sembrar en invernadero a principios de la primavera.

SALVIA SPLENDENS
"SCARLET KING"

## Salvia (salvia)

Anual o perenne cultivada como anual, de tallos rectos, con espigas verticiladas de vistosas flores dobles. La variedad *S. farinacea* es de alto porte y presenta hojas lanceoladas y espigas de flores color azul, blanco o violeta. La variedad *S. patens* es mediana, con espigas sueltas de grandes flores color azul. *S. coccinea* es de alto porte y de hojas ovaladas con bordes aserrados y flores rojas. La variedad *S. splendens* es una planta frondosa, de baja a mediana, de hojas ovaladas y con bordes aserrados color verde brillante y flores de color escarlata. Las variedades de color violeta, rosa, blanco, salmón o rojo (como la "Scarlet king") son ideales para macizos. La variedad *S. viridis* es mediana y resistente, de flores rosas con brácteas color azul, violeta, rosa o blanco. Sembrar en invernadero en primavera. Se recomienda sembrar la variedad *S. viridis* al aire libre.

▨ ▥ ✿

*S. splendens* serie **Cleopatra** *p.36*, *S. viridis p.27*

## Sanvitalia procumbens (sanvitalia)

Planta anual no expansiva y que forma matas, de hojas ovaladas y en punta de color verde brillante, y una gran cantidad de pequeñas margaritas amarillas con centros negros. Sembrar en primavera.

▨ ▥ ▨

## Scabiosa

Planta anual frondosa con flores aplanadas; las de exteriores son las más grandes. Las bienales y perennes de corta vida se cultivan con frecuencia como anuales. La variedad *S. atropurpurea* es de alto porte y de hojas lanceoladas y flores color violeta, azul, blanco o carmesí. La variedad *S. stellata* es mediana y de hojas en forma de lira, flores color rosa pálido y semilleros decorativos color beige con forma de estrella, ideales para secar. Sembrar en primavera.

▨ ▥ ▨

## Scaevola aemula

Planta perenne, de baja a mediana, de expansiva a rastrera, que se cultiva como anual, de hojas lanceoladas a ovaladas y grupos de flores azules, lilas, violetas o blancas similares a las lobelias. Es ideal para macetas. Sembrar las semillas en invernadero en primavera.

▨ ▥ ▨

"New Wonder" *p.40*

## Schizanthus pinnatus (orquídea enana)

Anual frondosa de hojas plumosas color verde y grupos grandes de flores similares a las orquídeas, de diversos colores y con bordes contrastantes, que generalmente presentan centros amarillos o blancos. Es ideal para macetas. Sembrar las semillas en primavera, o hacia fines del verano para obtener su floración en invernadero.

▨ ▥ min. 5° C

## Senecio cineraria

Arbusto siempre verde mediano que forma matas y que generalmente se

SENECIO CINERARIA
"SILVER DUST"

cultiva como anual. Presenta hermosas hojas lobuladas de color gris plateado (pág. 34). Da grupos de flores de color amarillo mostaza que crecen en varas durante el segundo verano.

▨ ▥ ▨

## Silene armeria

Planta anual o bienal, de pequeña a mediana y erguida, de hojas ovaladas en pares de color verde grisáceo, y ramificaciones de flores rosadas con forma de estrella, de pétalos levemente cortados, en verano y principios del otoño. Es aconsejable para atraer mariposas. Sembrar en primavera o verano.

▨ ▥ ▨

## Silybum marianum (cardo mariano)

Planta bienal elegante, de alto porte, que da grandes rosetas de hojas aplanadas durante el primer año. Las hojas son bastante amplias, muy lobuladas, brillantes y espinosas, de color verde intenso, marmoladas en blanco o plateado. Las flores son violetas, similares al cardo, y sirven para desecar. Sembrar las semillas en primavera.

▨ ▥ ▨

### Smyrnium perfoliatum

Planta bienal erguida, de mediana a alta. Las hojas y brácteas superiores son ovaladas y de color verde amarillento que rodean el tallo. Presenta flores pequeñas color amarillo verdoso. Sembrar a principios de la primavera; con frecuencia autogermina.

### Solanum pseudocapsicum
(cereza de Jerusalén)

Perenne siempre verde y frondosa que se cultiva como anual, de hojas lanceoladas. Las flores blancas y pequeñas, con forma de estrella, preceden a frutos de color escarlata redondos y vistosos. Sembrar en invernadero en primavera.

### Solenostemon scutellarioides

Planta perenne siempre verde y frondosa que se cultiva como anual. Sus hojas alargadas son, con frecuencia, variegadas y delineadas de color rosa, amarillo, verde, rojo o violeta brillantes, y a veces multicolores. Es conveniente quitar las espigas de flores para promover nuevos brotes. Sembrar en invernadero en primavera y verano.
🔲 🔳 min. 10° C
Serie **Wizard** *p.16*

### Sutera grandiflora

Planta perenne de pequeña a mediana, de expansiva a rastrera, con hojas pequeñas ovaladas y dentadas y flores aplanadas y rizadas color rosa, violeta o blanco, durante el verano y el otoño. Es aconsejable para macetas. Sembrar en invernadero a principios de la primavera, o tomar esquejes leñosos tiernos en verano.
🔲 🔳 min. 5° C
**"Knysna Hills"** *p.42*,
**"Sea Mist"** *p.40*

# T

### Tagetes (maravilla)

Planta anual frondosa y sumamente aromática de follaje dividido y flores espaciadas similares a las margaritas o claveles. Las variedades de Tagetes, producidas a partir de la *T. patula*, presentan flores simples a dobles color amarillo, anaranjado o rojo. También suelen ser bicolores. Se utilizan para macizos y macetas. Se encuentran disponibles desde enanas hasta de alto porte. Las variedades maravilla africana surgen de la *T. erecta*, planta de mediana a alta, de grandes flores simples a dobles de color dorado, crema o anaranjado. Las tagetes "Signet", de flores más pequeñas, se producen a partir de *T. tenuifolia*. Sembrar en invernadero a principios de la primavera.
🔲 🔳 ◈
**"Golden Gem"** *p.36*

### Tanacetum parthenium

Planta bienal o perenne de corta vida, mediana y frondosa (pág. 18). Las hojas oblongas, lobuladas y aromáticas son de color verde oscuro, aunque en la variedad "Aureum" son de color verde dorado. Posee grupos de pequeñas margaritas blancas con centros dorados. Sembrar en primavera; con frecuencia autogermina.

### Thymophylla tenuiloba

Planta anual o bienal mediana, de hojas similares al helecho y margaritas pequeñas de color amarillo anaranjado, durante fines de la primavera y el verano. Sembrar las semillas en primavera.

### Tithonia rotundifolia
syn. *T. speciosa*

Planta anual de alto porte y erguida, de hojas triangulares a ovaladas, con frecuencia, lobuladas, y flores similares a las zinias, de color anaranjado o escarlata brillante que

*SMYRNIUM PERFOLIATUM*

*TAGETES "TANGERINE GEM"*

*THYMOPHYLLA TENUILOBA*

alcanzan los 8 cm de alto. Sus flores sirven para cortar. Sembrar en invernadero en primavera.

■ ▣ ✿

## Torenia fournieri

Planta anual pequeña y frondosa (pág. 42) de hojas elípticas con bordes aserrados, bastante pálidas, y flores dobles y tubulares color azul pálido, con bases color violeta oscuro. Para macetas. Sembrar en invernadero en primavera.

■ ▣ min. 5° C
**"Blue Moon"** *p.16*

## Trachelium caeruleum

syn. *Diosphaera caerulea* ♥
Perenne de alto porte que se cultiva como anual, de hojas ovaladas con bordes aserrados y grupos tupidos de pequeñas flores color lila. Sembrar en invernadero a principios de la primavera.

■ ▣ ✿

## Tropaeolum majus

(capuchina)
Las capuchinas enanas (ver también pág. 65) forman plantas medianas y frondosas. Las flores son comestibles. Sembrar las semillas en primavera, pero además tomar esquejes del extremo del tallo de determinadas variedades.

■ ▣ La resistencia varía.
Serie **Alaska** ♥ *p.7*,
**"Hermine Grashoff"** ♥ *p.40*

# V

## Verbascum olympicum

(gordolobo)
Planta bienal elegante, de alto porte que produce grandes rosetas de hojas color grisáceo durante el primer año; durante el segundo, se desarrolla una gran cantidad de flores pequeñas de color amarillo brillante sobre las espigas ramificadas de los tallos

VERBENA 'IMAGINATION'

aterciopelados. La *V. bombyciferum* es aún más grande, de hasta 2 m de alto, y presenta un follaje color blanco plateado. Sembrar en primavera; a veces autogermina.

■ ▣ ▨

## Verbena

La *Verbena bonariensis* es una planta anual de alto porte, resistente a las heladas, que posee hojas espaciadas y oblongas y flores de color rojo violáceo. Las verbenas híbridas, ideales para macetas, son perennes expansivas o rastreras o arbustivas semirresistentes, que se cultivan como anuales. Presentan un follaje dentado y angosto y flores pequeñas color rosa, azul, malva, blanco y rojo, con frecuencia, con ojos amarillos o blancos. Sembrar bajo protección en primavera.

■ ▣ La resistencia varía.
**"Imagination"** *p.41*,

## Viola (pensamiento)

Anual o perenne de corta vida, de crecimiento bajo, de hojas dentadas y ovaladas y flores de diversos tamaños, colores e incluso bicolores. Ideal para macizos formales e informales. Sembrar en el exterior a fines del invierno.

■ ▣ ▨
**"Romeo and Juliet"** *p.15*

# X

## Xeranthemum annuum

(siempreviva)
Planta anual mediana con penachos, de hojas plateadas lanceoladas y margaritas violetas con brácteas plateadas "siemprevivas" con textura de papel. Es apta para desecar. Sembrar en primavera.

■ ▣ ▨

# Z

## Zinnia

La *Zinnia elegans* es una planta anual, erguida y frondosa de hojas ásperas, ovaladas a alargadas y vistosas flores, en su gran mayoría de color rosa, rojo, violeta, amarillo y crema. Existen de todos los tamaños, de flores simples, dobles o pompón; la variedad "Envy" tolera la sombra. La *Z. haageana* es una planta anual mediana de hojas angostas lanceoladas. Sembrar en invernadero, o en el exterior en zonas templadas, a fines de primavera.

■ ▣ ✿
**Zinnia elegans "Dreamland Scarlet"** *p.14*, **Z. haageana "Persian Carpet"** *p.8*

ZINNIA ELEGANS "ENVY"

# ÍNDICE

# AGRADECIMIENTOS

**Investigación fotográfica:** Anna Grapes
**Acervo fotográfico:** Neale Chamberlain
**Ilustraciones de diseños de plantaciones:** Gill Tomblin
**Ilustraciones adicionales:** Karen Cochrane
**Índice:** Hilary Bird

La editorial desea agradecer a todo el personal de RHS, en especial a Susanne Mitchell, Karen Wilson y Bárbara Haynes de Vincent Square; a Candida Frith-MacDonald por su colaboración en la edición.

**The Royal Horticultural Society**
Para más información sobre la obra realizada por la Sociedad, visite su página en Internet: www.rhs.org.uk
La información incluye novedades sobre los eventos que se llevan a cabo en todo el país, una base de datos sobre horticultura, registros internacionales de plantas, resultados de ensayos en plantas y detalles sobre cómo hacerse miembro.

**Fotografía**
La editorial quisiera agradecer a las siguientes personas y empresas por haberle concedido en permiso para reproducir sus fotografías
(Referencias: s = superior, a = inferior, d = derecha, i = izquierda, c = centro)
John Glover: contra tapa si y a, 6, 8 si, 9 s, 10 ad, 11 s, 11 a, 12 a, 13 s, 13 a, 16 a, 17 sd, 18, 19 a, 21 s, 23 si, 25 a, 25 si, 35, 38, 39; Christipher Grey-Wilson: 5 ad, 15 sd, 26 ai, 27 s; Photos Horticultural: tapa d, contra tapa sd, 4 ai, 9 a, 23 sd, 28, 29, 34; Daan Smit: 10 ai, 14 ad, 14 ac, 15 d, 19 s, 27 a.